De kassière

Anna Sam

De kassière

Mijn leven achter de kassa

Vertaald uit het Frans
door Joris Vermeulen

Artemis & co

ISBN 978 90 472 0081 9
© 2008 Editions Stock Anna Sam
© 2008 Nederlandse vertaling Artemis & co,
Amsterdam en Joris Vermeulen
Oorspronkelijke titel *Les tribulations d'une caissière*
Oorspronkelijke uitgever Éditions Stock
Omslagontwerp Nanja Toebak
Omslagillustratie © Getty Images
Foto auteur Magali Delporte

Verspreiding voor België:
Veen Bosch & Keuning uitgevers n.v., Wommelgem

Voor mijn broer Gwenael.
Ik had graag dit boek met je willen delen.

Voor iedereen, vrouw of man,
die ooit achter een kassa heeft gezeten.

Inhoud

Mijn naam is Anna, ik ben achtentwintig, ik heb een letteren-studie achter de rug en mijn leven is tot dusver heel normaal geweest, maar ergens ook bijzonder. Ik heb acht jaar in een grote supermarkt gewerkt, in eerste instantie om mijn studie te kunnen bekostigen en financieel onafhankelijk te zijn, maar na mijn afstuderen bleek ik geen werk te kunnen vinden in mijn vakgebied, dus groeide ik uit tot een echte 'kassajuf-frouw', zoals dat zo fraai heet.

Een kassa. Typisch iets waar je weinig respons van hoeft te verwachten, afgezien van de bliepjes die hij met grote regel-maat uitstoot bij het scannen van al die artikelen. Omdat ik continu dat o zo lieflijke geluid hoorde, liep ik het risico me-zelf na verloop van tijd als een robot te gaan zien. En de een-tweetjes tussen de klant en jou zijn zo vluchtig dat je daar ook niet echt het gevoel van krijgt dat je leeft. Maar gelukkig had ik wel echt contact met mijn collega's, zodat ik me net op tijd weer realiseerde dat ik wel degelijk van vlees en bloed ben.

En toen, op een dag, besloot ik over mijn werk te gaan ver-tellen en de belevenisjes op papier te zetten die een willekeu-rige kassière elke dag meemaakt. Als gevolg daarvan kreeg ik een ander beeld van het volk dat zijn boodschappen op de band zet, keek ik met andere ogen naar de wereld van de supermarkt, ontdekte ik dat mijn omgeving veel kleurrijker was dan ik altijd had gedacht.

Je hebt makkelijke en minder makkelijke klanten, rijke en arme, verlegen en arrogante, mensen die doen alsof je er niet bent en mensen die je gedag zeggen, types die staan te popelen om meteen na opening de winkel in te rennen en weer anderen die steevast vlak voor sluitingstijd langskomen. Je hebt er die je proberen te versieren en anderen die je beledigen. Je kunt dus niet bepaald zeggen dat er niets gebeurt in het leven van een kassière.

Ik maakte zoveel mee dat ik zin kreeg er anderen over te vertellen.

Op de volgende bladzijden staan een paar belevenissen beschreven die me het meest geraakt hebben.

Het wordt tijd om een karretje te pakken en de supermarkt in te gaan. De rolhekken gaan al omhoog!

Veel winkelplezier.

Welkom in het supermarktwezen, de ideale werkgever

Gefeliciteerd! Je bent eindelijk uitgenodigd voor een sollicitatiegesprek en hebt de baan zelfs gekregen.

Welkom in de prachtige familie van het supermarktwezen. Zo, dus je bent kassière geworden... o nee, sorry!, kassajuffrouw. Je voelt je opeens heel wat sexyer, toch? Het sollicitatiegesprek heeft maar een paar minuten geduurd, net lang genoeg om je te laten herhalen wat er op je cv staat en naar je bankgegevens te vragen.

Een assessment? Een IQ-test?

Kom op, hé...! Waarom geen schrijfexamen voor gevorderden?

Je wordt kassière, geen notaris!

Het is je eerste dag... en je moet meteen geld opleveren. Dus geen tijd te verliezen. Instantscholing.

Geen paniek. Een 'ervaren collega' neemt je onder haar hoede, minstens... een kwartier of... een ochtend lang, als het je geluksdag is, of... twee dagen, als je een sympathieke baas hebt (die bestaan nog, zeker weten). Regels zijn er niet, wat dit betreft.

Je krijgt eerst de hele winkel te zien (wel opschieten hè, we hebben nog andere dingen te doen). Daar zijn de kleedkamers, daar is de kantine waar gegeten en gedronken kan worden – of de vuilnisbelt, zo je wilt: alle artikelen die over de datum zijn komen daar terecht; je zult er nog vaak mogen zitten –, daar is de centrale kassa waar je je kassala ophaalt en… en dat was het.

Nu ken je de winkel goed genoeg om aan de slag te gaan. Je werkplek verder verkennen? Je krijgt vaak genoeg pauze, en dan heb je meteen iets leuks te doen.

Grote kans dat je een beetje nerveus bent, de eerste keer dat je plaatsneemt achter de kassa in je schitterende uniform van Chanel of Dior… of je afschuwelijk lelijke blouse (dat hangt allemaal af van de winkel, van de stijl van de clientèle) en met je kassala boordevol poen onder je arm (toch mooi evenveel als een paar dagen salaris).

Haal maar eens diep adem, het gaat vanzelf over.

Het is zover: je hebt je kassa gevonden, je la erin geschoven, alles zit op z'n plek, je bent heel geconcentreerd, supergemotiveerd, je 'ervaren collega' staat naast je, je oren zijn gespitst. Je bent klaar om te gaan werken. Dat werd tijd.

De grote lijnen die je in de gaten moet houden: de artikelen scannen (een snelle blik op de aangegeven prijs om na te gaan of die niet absurd hoog of laag is), het totaal opmaken, de klant het bedrag noemen, naar zijn of haar klantenkaart vragen, het geld of een ander betaalmiddel aannemen, het identiteitsbewijs in het geval van een creditcard, het eventuele wisselgeld teruggeven, de kassabon. Dat alles met je meest oprechte glimlach. Natuurlijk. En hopla: 'TotZiensPrettige-DagNog' en de volgende klant. Moet ik het herhalen?

In het begin dreigt het allemaal snel te gaan, te snel. Vooral als je begint op een moment dat het druk is. Toch krijgen ook jouw bewegingen al heel snel iets machinaals en besteed je niet meer echt aandacht aan wat je doet. Binnen een maand heb je het gevoel één te zijn met je kassa.

De tijd vliegt voorbij, en je 'ervaren collega' hoeft je steeds minder aanwijzingen te geven. Het begint te komen. Je bent bezig een expert te worden op het gebied van snelscannen en geldteruggave.

Bravo!

Eigenlijk is het een koud kunstje…

Je hoeft alleen maar de juiste gebaren te maken, en de rest komt vanzelf.

Het is zover. Je 'ervaren collega' laat je alleen achter de knoppen. Voor het eerst van je leven mag je helemaal zelf-standig artikelen scannen. Oeioeioei! Wat spannend.

Tja, hm, eigenlijk is het helemaal niet zo opwindend, afge-zien van de 'piiiep' van de scanner… Gelukkig is er nog altijd het intermenselijke contact tussen jou en de klant (nog even geduld, dat komt in heel wat hoofdstukken hierna aan bod).

O ja, ik zou het bijna vergeten. Het is niet eenvoudig maar wel vreselijk fascinerend. Je moet alle codes uit je hoofd leren van de artikelen die los worden verkocht: citroen, sla, tijm, ar-tisjokken, enzovoort. Geen paniek. Zoveel zijn het er ook weer niet, en mocht je iets vergeten, dan is er het memoblok naast je kassa. En er zijn ook nog je collega's: Isabella, Nadine, Maria, Chelsea… die nooit ver weg zijn (ja, hun voornamen moet je nou net wel goed onthouden, wat nog een flinke kluif is wanneer je honderd collega's hebt).

Je eerste dag zit er bijna op… De laatste klanten lopen naar buiten, de winkel gaat dicht.

En, wat is je eerste indruk? Eigenlijk is het wel grappig werk. Je ziet flink wat artikelen voorbijkomen (en daarbij stuit je op een hele zooi dingen waarvan je nooit had vermoed dat ze nuttig konden zijn of dat ze zelfs maar bestonden), je kletst met allerlei mensen, maakt kennis met leuke collega's, luistert de hele dag naar muziek, zit er warm en droog bij.

Een droombaan.

Goed, bijna dan.

Je moet de volgende dag en die daarna en alle volgende dagen terugkomen. En na verloop van je tijd heb je steeds minder zin om op te staan en naar je droombaan te gaan.

Neem dat maar van mij aan.

Top 3 van meest gestelde vragen

Mogen wij even uw aandacht? Bij wijze van welkomstgeschenk heeft uw winkel een exclusieve aanbieding: de top 3 van favoriete vragen van klanten.

- Waar zijn de wc's?
- Zijn er geen plastic tasjes?
- Ben je open?

Zo op het eerste gezicht vrij onschuldige vragen, maar wacht maar tot je achter je kassa zit. Aan het eind van de dag krijg je bij zo'n vraag moordneigingen (of in elk geval zin om te schreeuwen, voor de meest geduldigen onder ons). Oordeel zelf maar.

De meest dringende: 'Waar zijn de wc's?'

Klant (komt aangerend, meestal nogal opgefokt): 'Waar zijn de wc's?'
Kassière (probeert even te vergeten dat ze bezig is met een andere klant): 'Goeiedag!'
Klant (gesloten blik): '…'

Kassière (slaakt – inwendig – een diepe zucht): 'Daarginds.'

En ze wijst naar het grote, felverlichte bord TOILETTEN dat vlak voor de kassa's hangt. De klant spurt weg. Natuurlijk zonder een 'bedankt', 'tot ziens' of 'shit'.

Oké, wanneer de nood hoog is duurt zoiets te lang.

De meest agressieve: 'Zijn er geen plastic tasjes?'

Een van de grote revoluties van het begin van deze eeuw: de supermarkten zijn gestopt hun klanten gratis plastic tasjes aan te bieden. Menigeen heeft zich daarover opgewonden. Vooral in het begin.

Ze redeneerden als volgt: 'Als de winkel geen tasjes meer weggeeft, dan kan hij ze verkopen, dus levert hem dat extra geld op.' En ook ik heb dat in stilte gedacht. Maar ook had ik zin om te zeggen: 'Denk nou eens aan de toekomst en aan al die mooie, plasticloze landschappen die jullie nu kunnen gaan ontdekken. Een zee zonder tasjes die overal ronddrijven, is dat niet veel fijner?'

Tegenwoordig is het verschijnsel gratis plastic tasjes al bijna uit het denkbeeld van de mensen verdwenen. Je komt geen klanten meer tegen die hun afgeladen winkelwagen nijdig bij de kassa laten staan omdat ze moeten betalen voor een tasje (ja heus, ik heb het weleens meegemaakt). Maar misschien heb jij nog wel het geluk dit soort avonturen te beleven:

Kassière (na de drie artikelen van de klant te hebben gescand): '2 euro 56.'

De klant betaalt met een creditcard (nee, hij heeft echt geen geld bij zich).

Klant (zoekt aan het einde van de kassa naar tasjes om zijn tomaten, sla en appels in te doen, die allemaal al in plastic zakjes zitten): 'Zijn er geen tasjes?'

Kassière (voor de dertigste keer in minder dan twee uur): 'Zoals u weet zijn de supermarkten gestopt met het gratis uitdelen van plastic tasjes. Wij hebben voor u kartonnen dozen, in het dozenhok, of milieuvriendelijke, vaker te gebruiken tasjes van 15 cent.'

Klant (woedend, zijn ogen rollen bijna uit hun kassen): 'Kunt u dat niet zeggen vóórdat ik betaal?'

Kassière (slaakt een diepe zucht... nog altijd inwendig): 'Het spijt me, maar we geven al een paar maanden geen gratis tasjes meer weg. (Glimlachend:) Waarom neemt u uw boodschappen niet in de hand mee? Ze zitten al in plastic zakjes.'

De klant, nu nog woedender, pakt zijn appels, zijn sla... en vertrekt zonder zijn tomaten. Ongetwijfeld omdat hij maar twee handen heeft.

De meest irritante: 'Ben je open?'

Wil je de beleefdste, meest coole, onberispelijke kassière zijn? Vooruit, dat is je goed recht en het is heel prijzenswaardig (vergeet alleen niet hoeveel je betaald krijgt). Maar beloof me één ding: laat niemand je behandelen als een verlengstuk van je kassa. Je bent een mens, geen 'piiiep'. Klanten zijn niet op alle punten koning. Hierbij dus een aantal suggesties om verantwoord tegengas te geven.

Klant: 'Ben je open?'

De beleefde kassière: 'Ik niet, mijn kassa wel.'
De sarcastische kassière: 'Piiiep!'
En als de klant (m/v) een lekker ding is: 'Wilt u een poging wagen?'
De kassière met haar liefste glimlach: 'En u?'

Succes niet gegarandeerd.

Nog even dit: sommige klanten zullen je confronteren met variaties op dit thema:

- Ben je gesloten?
- Is-ie open?
- Ben jij een kassa?
- Mag ik bij je langskomen?

Hoe ze op te vatten is aan jou…

Modeshow

Ben je ijdel, haat je uniformen? Tot mijn spijt moet ik je erop wijzen dat een kassière, zelfs achter haar kassa, voor de klant onmiddellijk te herkennen moet zijn als een… kassière. Dus, om alle eventuele verwarring te voorkomen: werkkleding verplicht. En trouwens: hoe kun je zonder uniform het gevoel krijgen deel uit te maken van een grote familie, die van de keten waarvoor je werkt? Onmisbaar voor wie het beste in zichzelf naar boven wil halen.

Aanschouw de diverse lente-/zomer-/herfst-/wintercollecties die je te wachten staan.

'Glamour'-outfit
Mantelpakje (meestal donkerblauw) + bloemetjespochet ('smaakvol' laten uitsteken uit het borstzakje van je jasje). Instappers die bij je – meestal witte – blouse passen, van je eigen geld aan te schaffen. Zo meisje, droomde je ervan stewardess te worden? Met deze outfit gaat je wens in vervulling. Hopelijk neem je ook genoegen met een lowbudgetmaatschappij? En je kunt er ook prima mee verschijnen op een heilige communie/bar mitswa/medaille-uitreiking (doorhalen wat niet van toepassing is). Wat is het leven toch mooi!

Pas wel op: niet te plotseling bewegen. De naden (*made in*

China) zijn kwetsbaar en de kleren kunnen hier en daar knellen.

'Oma'-outfit
Je hebt niets om aan te trekken wanneer de vuilniszakken naar buiten moeten? Nu wel, dankzij deze magnifieke, vormeloze zwarte giletjes en rokken of bandplooibroeken maatje XXL. En al ben je nog geen twintig, kijk uit voor gerontofielen. Maar bij andere klanten onder de zeventig maak je totaal geen kans. Vergeet je korset niet, om het plaatje compleet te maken.

Alle kassières op een rij: de omaclan.

'Boerinnen'-outfit
Blouse maat XXL (van blauw-wit geblokt tot biggetjesroze) met drukknoopjes. Ook al is het niet zo, iedereen denkt dat je minstens acht maanden zwanger bent (of, mocht je een jongen zijn, dat je last hebt van overgewicht). In alle omstandigheden waterdicht, dus je kunt hem ook probleemloos gebruiken als het regent.

'Clown'-outfit
Knalrood jasje + blouse met grote, poepgroene bloemen + pofbroek in een ondefinieerbare kleur. Een rode neus erbij en je publiek lacht zich een kriek (zie Ronald McDonald). Geen klant die nog aan je voorbijloopt. Probeer daarentegen je vrienden ervan te weerhouden langs te komen. Je loopt het risico dat ze het er nog lang over zullen hebben.

'Goedkope' outfit
Polo, giletje of T-shirt (*made in Taiwan*) voor alle werkplekken, vagelijk in de kleuren van je supermarktketen (vóór het

wassen). Daarmee besparen die winkels heel wat geld. Je mag in je handjes knijpen als je in zo'n zaak mag werken. Tenslotte zie je er in zo'n goedkope outfit nog het minst idioot uit (wat iets anders is dan 'representatief'). En het gevoel lid te zijn van een grote familie wordt er alleen maar sterker op.

Aan het slot van deze modeshow nog even de opmerking dat je niet gek moet staan te kijken als je, mocht je op een ongelukkig moment van het jaar beginnen, een mix van genres krijgt aangereikt en je plotseling rondloopt in een combinatie van Glamour en Clown, Oma en Boerin of Clown en Oma… Om je vingers bij af te likken.

Wat er ook gebeurt, kijk in je winkel niet te vaak in de spiegel als je niet in een depressie wilt schieten, of als je niet klant na klant de slappe lach wilt krijgen.

De kas opmaken:
op zoek naar het ontbrekende muntstuk

Het is 21.05 uur. Je hebt je eerste echte dag achter de rug. Je hebt zojuist afgerekend met je 289ste klant, je laatste. Je hebt acht uur achter de kassa gezeten met twee pauzes van een kwartier. Je bent uitgeput. Je denkt maar aan één ding: je bed in duiken en tot morgenochtend zes uur slapen.

'Hallo, wakker worden, de dag is nog niet voorbij!'

Je hoeft alleen nog maar je werkplek te poetsen (je bent toch niet zo naïef te denken dat een werkster dat voor je doet?) en de kas op te maken (je waagt het toch niet te veronderstellen dat je betaald wordt om niets te doen?). Prijs je gelukkig: je hoeft hier in ieder geval niet de schappen af te stoffen.

'Kom, schiet op, met je geldla onder je arm naar de centrale kassa!'

'Heb je een plekje gevonden naast je collega's, een potlood, papier? Zit niet te gapen, je bent nog niet klaar! Tel eerst maar het kleingeld, daarna de biljetten en tot slot je geldrollen (ik zeg dan wel 'je', maar ze zijn natuurlijk helemaal niet van jou) of andersom, dat mag je zelf weten. Laat je

niet afleiden door het gekwek om je heen, deuren die open-
en dichtgaan, het gerinkel van geld. Concentreer je of begin anders maar alvast te balen, want dan mag je tot je grote vreugde opnieuw beginnen.'

'Te weinig licht? Niet zeuren; het gedempte licht zou een
opluchting moeten zijn na de felle lampen bij de kassa's.'

Een kwartier later…

Het is zover, je hebt nauwkeurig genoteerd hoeveel munten
van 1, 2, 5, 10, 20 en 50 cent en van 1 en 2 euro je hebt. En hoeveel biljetten van 5, 10, 20, 50, 100 en 200 euro. Hoeveel rollen… Rustig, geen paniek. Je hebt inderdaad een klein fortuin
voor je liggen. Gewoon niet aan denken. Denk eerder aan je
salaris dat je na een maand krijgt overgemaakt. Dat zet je vast
weer met beide benen op de grond…

Tel alles bij elkaar op en trek daar je wisselgeld van af (precies, de 150 euro cash die aan het begin van de dag in je kassala zat).

'Oké, nummer 173, hoeveel? 173?! Ja, jij bent nummer 173!'
'Ik heb een naam, hoor!'
'Ja, dat weet ik, maar zo gaat het sneller. Dus, 173?'
'3678 euro en 65 cent!'
'Tel nog maar eens, 173, je hebt je vergist! Ik had je gewaar-
schuwd. Je moet je beter concentreren.'
'Zit ik er ver naast? Is het te veel? Te weinig?'
'Ik vraag enkel of je het na wilt rekenen.'

'3678 euro en 15 cent!'

'Oké. Check voor je vertrekt of je statiegeldbonnen en je kortingsbonnen op orde zijn. We zijn je dienstmeisje niet.'

21.35 uur. Je trekt je blouse uit in de kleedkamer. Je hebt nog net vijf minuten om je bus te halen. Welterusten, *sweet dreams* (met om de haverklap 'piiiep', 'goeiedag', 'TotZiensPrettige-DagNog'… of iets anders).

Het sollicitatiegesprek

Ik ben iets vergeten te zeggen, wat fatale gevolgen kan hebben voor je sollicitatiegesprek. Laat ik het meteen maar rechtzetten. Het is niet erg als je nog nooit van je leven gewerkt hebt, als je slecht bent in rekenen, als je pleinvrees hebt of bang bent in het donker, als je maar per direct aan de slag kunt, het duizelingwekkende salarisvoorstel accepteert, een eigen bankrekening hebt en een overtuigend antwoord weet op de volgende vraag: 'Waarom wil je bij ons werken?'

Eh ja, zelfs om kassière te willen worden moet je goede redenen hebben.

Een paar antwoorden ter inspiratie:

'Omdat ik er altijd van heb gedroomd in een supermarkt te werken!'

Als je wilt dat ze je geloven, moet je het echt met heel, héél veel overtuiging brengen en tegelijkertijd een stralende blik weten te produceren. Gemakkelijk is anders.

'Omdat mijn moeder ook kassière is geweest!'

Toelichting: zie hierboven.

'Omdat ik ervoor wil zorgen dat uw keten nog groter wordt dan-ie al is!'

Dit riekt naar grootheidswaanzin, maar zo'n winnersmentaliteit doet het altijd goed. Kan jou het wat schelen. Check van tevoren wel even of de keten in kwestie niet onlangs vanwege kartelvorming op z'n vingers is getikt door de nationale mededingingsautoriteit...

'Ik studeer. Ik heb een deeltijdbaan nodig om m'n studie te kunnen betalen.'

Een klassieker, maar nog altijd heel overtuigend. Bedrijfsleiders houden van studenten, want die zeuren minder dan oudere types en willen graag in het weekend werken. Een fantastisch antwoord dus. Natuurlijk, mocht je in werkelijkheid geen studie volgen, dan moet je er wel jong genoeg uitzien om voor student(e) te kunnen doorgaan. Maar tot een jaar of dertig, vijfendertig zul je er weinig problemen mee krijgen.

'Ik heb werk nodig om in m'n onderhoud te kunnen voorzien.'

Een antwoord dat sterk wordt ontraden. Al is het de waarheid, de bedrijfsleider zal je 'niet erg gemotiveerd' vinden, of komt met uitspraken als 'te weinig teamgeest' of 'sluit niet aan bij de commerciële ambities van de winkel'... en legt met wat pech je brief onder op de stapel (die trouwens gigántisch hoog is).

Maar er zijn zat andere antwoorden waar hij wel weer blij van wordt. Stel je bijvoorbeeld even voor dat je notaris wordt in plaats van kassière, en je verzint er zo een paar. Een beetje fantasie, zeg!

Weet je weetje

Knoop dit goed in je oren en je wint gegarandeerd alle kassière-quizzen:

- Het land telt 170.000 kassières, pardon: kassajuffrouwen (wat je noemt een familie!);
- per minuut gaan er per kassa 15 tot 20 artikelen langs de scanner. Een gemiddelde dat bij een aantal discountzaken kan oplopen tot 45. De kassière ziet zich dan wel genoodzaakt de boodschappen van de klant zonder enig mededogen te behandelen. Als de klant uit de maat loopt met het vullen van de band – wat natuurlijk bijna altijd het geval is – sneuvelt er al snel iets. Maar wat wil je: hij krijgt geen korting als het soepel verloopt. De kassière wordt er trouwens financieel ook niet beter van...;
- 700 tot 800 gescande artikelen per uur;
- 21.000 tot 24.000 afgehandelde artikelen per week;
- wekelijks 800 kilo te tillen artikelen per uur (in de spits wordt de ton per uur overschreden);
- 96 tot 120 ton wekelijks opgetild (toch maar mooi evenveel als vier vrachtwagens!);
- Een jaarlijks? Pak je rekenmachine er maar bij (niet aangeboden door de winkel).

Maar zie ik eruit als een bodybuilder? Nee, absoluut niet. Integendeel, ik voel me vaak alsof ik zeventig ben.

Iedere week kun je op het scorebord van de kassières zien of je in de categorie haas valt of juist meer richting slak gaat. Wees niet bang. De winnaar krijgt helemaal niets (nog geen blikje tomatenpuree). Maar je ouders of je kinderen zullen vast ontzettend trots op je zijn.

Dagelijks gemiddeld…

- 250 keer 'Goeiedag'
- 250 keer 'TotZiensPrettigeDagNog'
- 500 keer 'Bedankt'
- 200 keer 'Hebt u een klantenkaart?'
- 70 keer 'U mag uw pincode intoetsen'
- 70 keer 'Uw pas moet andersom door de gleuf'
- 30 keer 'De wc's zijn daarginds'
- … en nog veel andere, minstens zo poëtische zinnetjes.

Jij, een robot? Hoe kom je erbij. Een robot glimlacht niet.

- je loon aan het eind van de maand: € 850,- netto;
- een werkweek van 30 uur (of 26, 24 of 20, maar zelden 36).

Ik zal je maar meteen uit de droom helpen: met je deeltijdcontract hoef je niet te proberen er nog een baantje bij te nemen. Je leidinggevenden houden er een planning op na die iedere week verandert. Gelukkig heb je nog wel de ruimte om van vijf tot acht uur 's ochtends het huishouden te doen. Heb je een hekel aan een burgerlijk bestaan (of aan veel regelmaat)? Je hebt de ideale baan te pakken.

Een voorbeeld van een 30-urige werkweek:

- *maandag*: 9.00 uur – 14.30 uur (werktijd: vijfenhalf uur – pauze: 16 minuten).
- *dinsdag*: vrij.
- *woensdag*: 15.00 uur – 20.45 uur (werktijd: vijf uur en drie kwartier – pauze: 17 minuten).
- *donderdag*: 13.45 uur – 17.15 uur (werktijd: drieënhalf uur – pauze: 9 minuten).
- *vrijdag*: 15.15 uur – 21.00 uur (werktijd: vijf uur en drie kwartier – pauze: 17 minuten).
- *zaterdag*: 9.00 uur – 13.00 uur en 15.30 uur – 21.15 uur (werktijd: negen uur en drie kwartier – pauze: 12 en 17 minuten).

En de week erna? Wees niet bang, dan heb je een (heel) ander rooster:

- je krijgt je nieuwe rooster twee weken van tevoren te horen, of zelfs drie weken als degene die de planning doet erg ijverig is, of 24 uur van tevoren als ze een paar collega's te kort komen;
- zes uur en een kwartier is het maximale aantal uren dat je aan één stuk door mag werken (officieel, maar sommige ketens hanteren andere regels);
- je krijgt 3 minuten pauze per gewerkt uur (als je 18 minuten wilt hebben om te eten, moet je dus minstens 6 uur werken. Kortom: aan een bord lekker warm eten of een kaassoufflé hoef je niet te denken).

Goed, dit was dus de baan van je leven samengevat in een paar getallen… Word je er blij van? De supermarkten vinden het in elk geval prachtig.

Blijf hangen, ik sta bij de kassa!

Ah, het mobieltje, wat een prachtige uitvinding is dat toch… Niet te geloven wat je er allemaal mee kunt doen: muziek luisteren, tv-kijken, e-mail versturen, de beurskoersen volgen… en ook nog eens telefoneren, wanneer en waar je maar wilt. Maar dat is nog niet alles. Je hebt er zelfs die je in een onzichtbare man (of vrouw) kunnen veranderen. En dat zijn niet per se de duurste.

Laten we daarbij opmerken dat de aanwezigheid van een kassière een ideale setting is voor laatstgenoemde activiteit.

Klant (aan de telefoon, met luide stem want alleen op de wereld): 'Maar ik sta al bij de kassa! Had je dat niet eerder kunnen zeggen, dat je bananen wilde hebben?'

Kassière (met luide stem om hem erop te wijzen dat hij inderdaad bij de kassa is en niet thuis): 'Dag meneer!'

Klant (merkbaar helemaal thuis in de winkel): 'Vanavond uit? Maar ben je dan niet misselijk meer?'

Kassière (die supersnel gewerkt heeft zodat hij supersnel naar huis kan): '13 euro 50 alstublieft, meneer.'

Klant (pakt met één hand zijn boodschappen zonder zich te haasten): 'Ik weet zeker dat je een darminfectie hebt. Ik hoop dat je me niet aangestoken hebt. Ik heb geen zin om de hele nacht op de plee te zitten.'

Kassière (staat op, schraapt haar keel en zet de volumeknop flink open): '13 euro 50 alstublieft, meneer!'

Klant (werpt de kassière vagelijk een blik toe maar gaat rustig door met het oppakken van zijn boodschappen): '... Maar jíj luistert nooit naar míj. Je moet wel iedere keer je handen wassen.'

Kassière (balt haar vuisten en zet de volumeknop helemaal open): 'Uw klantenkaart, meneer?'

Klant (haalt zonder de kassière aan te kijken zijn pinpas door de gleuf): '... Dat had ik al begrepen, ik ben niet doof. Wat ben je toch een trut als je ziek bent.'

De klant rukt de kassabon uit de handen van de kassière alsof ze een geldautomaat is.

Klant (loopt weg met zijn boodschappen, nog altijd aan de lijn en nog altijd met luide stem): '... Gelukkig is niet iedereen zoals jij.'

Kassière (met luide stem... in gedachten): 'Gelukkig is niet iedereen zoals jij, klootzak.'

En ze besluit hem geen 'TotZiensPrettigeDagNog' te gunnen. Je pakt ze terug waar je kunt.

Niet getreurd. Een paar minuten lang ben je onzichtbaar geweest. Een onvergetelijke ervaring, toch?

En trouwens, nog een positief puntje: heel wat andere klanten vind je opeens verschríkkelijk sympathiek:

Klant (aan de telefoon): 'Blablabla…'

Kassière: 'Goeiedag.'

Klant (kijkt de kassière aan): 'Hallo.' (En richt zijn blik meteen weer omlaag): 'Dus, zoals ik al zei… blablabla…'

Ik zweer het je.

En dan kun je ook nog het geluk hebben zo'n zeldzaam geval tegen te komen:

Klant (aan de telefoon): 'Ik bel je zo terug, want ik moet nu afrekenen.'

De klant hangt op en stopt zijn mobieltje weg.

Kassière (met een stralende, honderd procent gemeende glimlach): 'Dag meneer!'

Klant (glimlacht terug): 'Hallo.'

Wat is het leven toch mooi!

Pas op, juich niet te vroeg: dat soort klanten zijn heel, héél, echt héél zeldzaam. De kassières die er zo eentje zijn tegengekomen hebben het er nu nog over…

Als je bijzonder gevoelig bent voor dit soort dingen en alweer voor het tweede jaar achter de kassa zit – en je bent dan nog gevoelig voor dit soort dingen?! – heb je misschien eerder zin in zoiets:

Klant (aan de telefoon): 'Blablabla…'

Kassière (scant in rap tempo de artikelen… bellend met haar handsfree setje): 'Blablabla…'

Klant (kijkt naar de kassière): 'Zijn er geen tasjes?'

Kassière (zonder de klant aan te kijken): 'Nee.' (En dan meteen weer:) 'Blablabla…'

Oké, maar laten we wel wezen: zoiets zul je nooit doen (je hebt jezelf er alleen maar mee). Een kassière blijft een kassière. En een kassière belt niet tijdens haar werk! In elk geval niet tot de computer haar voorgoed heeft vervangen (sommige klanten denken blijkbaar dat we al zover zijn).

Sfeerverhogend

Een andere baan, bijna net zo benijdenswaardig als de jouwe: promotiemedewerker in een supermarkt. Dat merkwaardige slag mensen zie je bij heel speciale gelegenheden opduiken: Moederdag, Vaderdag, Tuinfeest, Kamerplantenfeest, Lentefeest, Zomerfeest, Kerstfeest, Rode-wijnfeest, Witte-wijnfeest, Roséfeest, Zuurkoolfeest, Worstenfeest, Garnalenfeest, Muffinfeest… Al snel heb je door dat iedere gelegenheid kan worden aangegrepen om feest te vieren. En op die dagen heb je er toch zó'n spijt van dat je zelf niet kunt winkelen! Al die aanbiedingen en karrenvrachten cadeaus die je misloopt…

Eén dag en je begrijpt waarom niet iedereen promotiemedewerker in een supermarkt kan zijn.

Je moet een mooie stem hebben (vooruit, kunnen praten volstaat) en veel, heel veel uithoudingsvermogen. De promotiemedewerker in een supermarkt is in staat om de hele dag vrijwel continu in zijn microfoon te praten (iets wat trouwens kan maken dat je binnen de kortste keren een hekel aan hem hebt).

Je moet ook over veel overtuigingskracht beschikken.

De promotiemedewerker (in zijn microfoon): 'Een schitterende, magnifieke, sublieme, gigantische aanbieding: drie worsten voor de prijs van twee! Een uitzonderlijk goedkope manier om uw hele gezin een schitterende, magnifieke barbecue te bezorgen!'

En je moet ook over dichterlijke kwaliteiten beschikken.

De promotiemedewerker: 'Ach, met het hele gezin barbecueën... Wat is er mooier dan met het hele gezin barbecueën? Ontroerend, vertederend! Niet vergeten dus dat het morgen Moederdag is. Verteder moeder de vrouw! En dat voor maar 2 euro 54!'

Je moet je topografie op orde hebben.

De promotiemedewerker: 'Momenteel sta ik bij de afdeling brood en banket. Kom hierlangs om de heerlijkste lekkernijen uit Europa te proeven, met veel liefde bereid door onze bakkers: croissants, ovenvers uit Parijs, romige schwarzwalderkirschtorte, dampende Brusselse wafels, en ga zo maar door!'

Je moet net zo goed kunnen presenteren als David Letterman of Oprah Winfrey (meestal denkt de promotiemedewerker trouwens dat hij of zij David Letterman of Oprah Winfrey ís).

De promotiemedewerker (tegen een vrouwelijke klant): 'Goed dan mevrouw, wat is de hoofdstad van Groot-Brittannië? Londen, Berlijn of Madrid? Als u het juiste antwoord geeft, wint u deze schitterende, sublieme, magnifieke barometer...'

Vrouwelijke klant: 'Poe, kweenie.'

De promotiemedewerker: 'Wilt u een vriend om advies vragen?' (Gevolgd door een brede glimlach, want je moet ook gevoel voor humor hebben.)

Vrouwelijke klant: 'Ja, graag.'

De promotiemedewerker: 'Goed, laat mij uw vriend wezen. Een hint: het begint met een L.'

Vrouwelijke klant: 'Lourdes!'

De promotiemedewerker (toch wat verrast): 'Eh... nee, het is Londen. Maar dat hindert niks, mevrouw. Morgen is het Moederdag, dus u hebt alsnog deze schitterende, sublieme, magnifieke bos bloemen gewonnen!'

Je moet vooral van alle markten thuis zijn.

De promotiemedewerker (in zijn microfoon): 'De kleine Jean is zijn papa en mama kwijt. Of ze hem zo snel mogelijk willen komen ophalen bij de dierenvoeding. Hun mannetje moet heel nodig plassen!'

Nee echt, niet iedereen wordt zomaar promotiemedewerker in een supermarkt. Meer dan eens voel je zelfs iets van bewondering voor dat soort types, want zoveel mensen met zo weinig middelen weten te boeien is me dunkt een sterk staaltje!
Petje af en microfoon uit.

Gereserveerde plaats

In de rij staan? Voor sommigen is het een hel, of het nou in de supermarkt is of op het postkantoor. Hoe voorkom je het? Dankzij subtiele, uiterst geavanceerde tactieken. Ik zal je de meest listige verklappen.

Tactiek 1

Slimme klant (komt met vier artikelen in de hand aangerend): 'Ben jij open?'

Kassière: 'Ik niet, maar mijn kassa wel. Goedemorgen!'

Slimme klant: 'Mooi zo!'

De vier artikelen worden gescand.

Kassière: '5 euro 45, alstublieft.'

Slimme klant: 'Wacht, m'n vriendin heeft iets vergeten. Ze komt er over drie seconden aan.'

Drie seconden en vijf minuten later nog altijd geen vriendin te bekennen, maar wel een aantal wachtende klanten.

Kassière (bouwt langzaam maar zeker een lichte nervositeit op): 'Zal ik vast een volgende klant helpen?'

Slimme klant (die anders dan de kassière geen greintje nervositeit vertoont, maar wel irritatie vanwege de vraag): 'Ze komt er zo aan! U kunt toch zeker wel even wachten?!'

En ja, op dat moment ziet de kassière haar aankomen met… twee mandjes tjokvol boodschappen.

Klant achter de slimme klant: 'Schaamt u zich niet?!'

De kassière vraagt zich dat natuurlijk ook af, in stilte.

Slimme klant: 'Maar meneer, ik heb ook in de rij gestaan, net als iedereen!'

Tactiek 2

De slimme klant komt aangesneld met haar karretje en begint de boodschappen op de band te leggen.

Kassière: 'Hallo.'

Maar de slimme klant is alweer weggerend, terwijl haar karretje nog halfvol is. De kassière vermoedt dat ze snel weer terugkomt en begint alvast de artikelen op de band te scannen. Daar verschijnt een nieuwe klant.

Kassière (diplomatiek): 'Goedemorgen. De mevrouw voor u komt zo terug.'

De klant zucht. Zo en twee minuten later is 'de mevrouw' nog altijd niet terug.

Klant (chagrijnig): 'Ik heb nog wel wat anders te doen!'

Kassière (opgelaten): 'Ze komt dadelijk terug, echt waar.'

Dadelijk en twee minuten later. Nog altijd niemand te bekennen.

Klant (agressief): 'Zit je me nou te belazeren of hoe zit het?'

Kassière (verschrikkelijk opgelaten): 'Het spijt me vreselijk.'

Klant: '"Het spijt me vreselijk!" Je kunt me de pot op! Ik ga wel naar een andere kassa, domme troela!'

Vlak nadat de klant naar een andere kassa is vertrokken, komt de slimme klant heel rustig aangelopen met haar armen vol boodschappen.

Slimme klant: 'Als ik had geweten dat er niemand achter me stond, had ik me niet zo gehaast!'

Tactiek 3

De kassière heeft even niets te doen en gebaart naar een vrouwelijke klant op leeftijd die iets verderop staat te wachten dat ze naar haar kassa kan komen. De vrouw loopt zo snel als haar benen het toestaan naar de kassa, en wanneer ze nog maar een meter te gaan heeft, komt daar een man aangesprint die haar op weergaloze wijze met zijn karretje de pas afsnijdt. En net zo snel legt hij zijn boodschappen op de band.

Kassière: 'Dag meneer, die mevrouw was vóór u.'

Slimme klant (zonder de dame in kwestie een blik waardig te keuren): 'Zit je te dollen? Schiet op, ik heb nog wel wat anders te doen.'

De dame op leeftijd gebaart naar de kassière dat het haar niets uitmaakt. Helaas...

Tactiek 4

De kassière handelt een paar klanten af, waarna ze oog in oog staat met een leeg winkelwagentje zonder eigenaar. Daarachter staan vijf andere klanten te wachten.

Kassière (tegen de klant achter het lege karretje): 'Gaat u maar voor, als u wilt.'

Wanneer de derde in de rij aan de beurt is, verschijnt daar de extreem slimme klant met twee tassen boordevol boodschappen, die zonder blikken of blozen voor klant nummer drie kruipt.

Klant nummer drie: 'Sorry hoor, maar ik stond hier eerder!'

Extreem slimme klant (wijzend naar het lege karretje): 'Sorry hoor, maar ík stond hier het eerst!'

Als klant nummer drie concludeert dat hij dit niet hoeft te pikken, dreigt de sfeer razendsnel vijandig te worden, met bijbehorende lawines van scheldwoorden en agressieve gebaren. En ja, de extreem slimme klant is zo'n gluiperd dat je wel een halve heilige moet zijn, wil je je kalmte nog kunnen bewaren.

De kassière, die op de eerste rang zit, ziet de bui al hangen en schuift zover mogelijk naar achteren.

Dus, extreem slimme klanten: ik zou u willen adviseren uw boodschappen via internet te doen. Ze kosten zoveel energie, al die conflicten met uw medemensen, die toch echt niet zo achterlijk zijn als u denkt…

Stelletjes die elkaar aflebberen

Dacht jij dat supermarkten niet bepaald ideale liefdesnesten zijn? Dan heb je het mis.

Heuglijk nieuws: ze zijn veel erotischer dan doorgaans wordt aangenomen. Je zult er nog van staan te kijken hoe vaak er stiekem gezoend wordt in de gangpaden (ook bij het wc-papier), en van het aantal smachtende blikken dat gewisseld wordt halverwege de afdeling vleeswaren en de visafdeling, hoeveel handen er op billen worden gelegd voor de vrieskisten, hoeveel borsten er betast worden (en desgewenst meer dan dat) bij de lingerie, hoeveel romantische of zelfs hartstochtelijke gesprekken er voor de kazen worden gevoerd. Er wordt trouwens ook heel wat afgeruzied…

Waarom? Misschien dat de zinnen geprikkeld worden door die grote hoeveelheid producten, allemaal binnen handbereik.

Ik heb zelfs ooit getuige mogen zijn van een uiterst hartstochtelijke erotische scène.

De dag is bijna afgelopen, er loopt nog maar weinig volk rond, ik heb niemand aan de kassa (ja heus, dat komt weleens voor). Mijn blik dwaalt af (ik weet het: die kassa wordt niet vanzelf schoon) naar de afdeling strips en tijdschriften, waar zich een stel met vier kinderen ophoudt. Opeens zie ik dat vader en moeder elkaar wel erg teder bejegenen. En dat waar hun vier kinderen bij zijn; je zou er spontaan van gaan dagdromen.

En ik, helemaal alleen achter mijn kassa, begin dus te dromen... Allerlei romantische beelden trekken voorbij aan mijn geestesoog, tot ik opschrik van het geluid van een wastafel die ontstopt wordt. Het stel in kwestie komt inclusief wagentje en vier kinderen mijn kant uit... terwijl ze elkaar vol op de mond kussen: de bron van het in-romantische geluid.

Op dat moment bedenk ik: liefde maakt rauwe tonen zoet. En maakt ook nog blind: ondanks dat ze voor mijn neus staan, blijven ze elkaar liefkozen. En dat zonder een greintje gêne (mama draagt een roze kanten string en papa heeft een bijzonder harige bilspleet). Hun kinderen verbazen zich nergens over, laten hen hun gang gaan en nemen al hun overige zaken waar.

Zeg nou zelf: het is prettiger dan ouders die elkaar uitschelden. Ik moest ervan blozen, moet ik bekennen. Je maakt niet iedere dag mee dat de passie voor je kassa losbrandt.

Maar wees erop voorbereid dat ook jij, medewerkster van zo'n Hof van Eden, de nodige verlangens kunt losmaken (zelfs als je blouse te lelijk voor woorden is). Wees niet verbaasd als je de meest prachtige liefdesverklaringen te horen krijgt:

Kassière: '65 euro 78, alstublieft. Hebt u een klantenkaart?'

Klant (initiatiefrijk): 'Wil je vanavond met me naar bed?'

Anderen zijn iets minder direct, iets meer timide maar ook iets obsessiever. In nog geen week tijd zie je ze negentien keer aan je kassa verschijnen, telkens met maar één artikel. Telkens met neergeslagen ogen. Geen hallo, geen tot ziens. Je begint je af te vragen of er misschien een steekje bij hen loszit. Maar dan, de twintigste keer:

Klant (helemaal wit weggetrokken): 'Wil je... Wil je... Wil je misschien wat met me gaan drinken?'

Als je nee zegt breekt zijn hart maar loop je zelf geen schade op... Doorgaans snelt de afgewezen aanbidder er meteen vandoor, wisselgeld of niet. En jij, jij staart hem verbluft na, helemaal sprakeloos van dit merkwaardige avontuur.

Spannend hè?

En een echte romance? Het zou natuurlijk kunnen, wie weet... Maar ik herhaal het nog maar even: je bent kassière, je loopt niet rond in een Amerikaanse film.

'Gênante' artikelen

Waar worden klanten altijd verlegen van, waarvan moeten ze blozen? Ik zou het niet weten, zul je vast antwoorden (je herkent ze pas als ze blozen)... Maar daar sla je toch de plank mis, want wat dacht je van de 'gênante' artikelen? Die weten steeds opnieuw een stukje persoonlijkheid van je o zo sympathieke klanten bloot te leggen en maken dat er nog eens wat te lachen valt (niet hardop, natuurlijk).

Wc-papier

Iedereen gebruikt het (men zegt zelfs dat de nationale consumptie ervan hoger ligt dan in de rest van Europa). Toch zou je zweren dat sommige klanten bij voorbaat al vies zijn van een paar rollen wc-papier. Amper heb je het pak gescand (hang niet de sadist uit door te doen alsof je de streepjescode niet kunt vinden) of ze rukken het uit je handen en gooien het op de bodem van hun karretje of van hun tas, waarna ze het begraven onder andere boodschappen. Ze halen pas weer adem wanneer ze zeker weten dat 'dat ene' niet meer te zien is. En wanneer 'dat ene' maar niet uit het zicht wil verdwijnen (omdat de tas te klein is of het gezinspak van tweeëndertig rollen te volumineus) zullen sommigen zich een flinke poos gaan staan uitsloven om 'dat ene' kopje-onder te duwen. Anderen gaan wanhopig op zoek naar folders om het te bedekken. En ze sprinten er allemaal mee vandoor alsof ze hoge nood hebben.

Maandverband

Sommige meisjes (zelfs niet meer zo heel jonge) zien ongesteld zijn blijkbaar nog steeds als een soort ziekte waarvoor je je moet schamen. Gelukkig zijn de verpakkingen van maandverband en de doosjes tampons minder opzichtig dan een pak wc-papier en kunnen ze die snel wegstoppen in een tas. Desondanks heb je genoeg tijd om zulke dames een hoofd als een boei te zien krijgen, weinig spontaan een verlegen 'tot ziens' te horen brabbelen met hun ogen op hun tenen gericht, en zenuwachtig met hun vingers te zien friemelen, zodat hun wisselgeld op de grond valt… Je zou bijna gaan denken dat je opeens heel imponerend bent geworden. Niet te geloven: een kassière die nog indruk weet te maken op klanten! En je hebt er ook voor wie het kopen van die dingen zo'n niet te nemen hindernis vormt dat ze liever hun man of vriend naar het front sturen. En die vinden het meestal best grappig. Het zal je nog verbazen hoe vaak dat gebeurt.

Zo verbazingwekkend is het trouwens helemaal niet. Gezien de reclames waarin systematisch gehamerd wordt op de vieze luchtjes die je zou verspreiden als je ongesteld bent of op de doorlekvlekken die je ervan zou krijgen, waardoor iedereen je begint aan te staren, is het niet verrassend dat sommige vrouwen zich schuldig gaan voelen.

Condooms (mijn favoriete 'gênante' artikel)

Je hebt natuurlijk klanten van het type 'verstop het voorbehoedsmiddel zodat niemand het ziet'. Die doen hun best het doosje te laten 'wegvallen' tegen andere aankopen (sommigen hebben met veel zorg artikelen uitgekozen die qua afmetingen en kleur lijken op het felbegeerde doosje), of ze gooien het op het allerlaatste moment op de band (het type 'niet gezien = niet gekocht'). Die moeten wel uitkijken dat ze niet te energiek te werk gaan, want voor ze het weten belandt het ding op de band van de kassa ernaast, pal voor de neus van hun buurvrouw van de overkant van het trappenhuis. En in dat geval hebben ze nog maar één keus: uitwijken naar Zuid-Amerika...

Je hebt de 'kan mij 't wat bommen'-klanten. Maar die zijn niet leuk.

En er zijn de 'snoevers'. Die voeren een complete sketch op. Met een blik die druipt van de testosteron leggen ze twee of zelfs drie of vier doosjes rubbertjes maat xxl op de band. Verder kopen ze niets, dat spreekt vanzelf (of hooguit een flacon glijmiddel... begrijp je wel). Ongeduldig wachten ze tot alle klanten om hen heen (het liefst de hele winkel) het gezien hebben en hen vol bewondering (meiden) of scheel van jaloezie (kerels) aanstaren. Ze worden chagrijnig als je de doosjes te snel scant, maar vinden het prachtig als je je microfoon gebruikt om te vragen wat ze kosten (niet vergeten dat het om extra grote jongens gaat).

En natuurlijk hebben ze nooit een plastic tas nodig.

Pornofilms
Wanneer een 'snoever' ze koopt, legt hij ze trots naast zijn doosjes condooms, da's logisch. Hoe harder de titel van de dvd, hoe blijer hij is.

Je hebt ook stelletjes die het 'schandalig' vinden dat 'jij' (natuurlijk ben je persoonlijk verantwoordelijk voor iets wat hun niet zint) geen porno verkoopt. Maar tegenwoordig krijg je dit

specifieke verwijt niet vaak meer te horen. De grotere supermarkten hebben inmiddels wel door dat porno een flinke
goudmijn is en zorgen er vaak voor dat ze een schapje hebben
staan. O zeker wel! Ze zijn verstopt, daar beneden in de hoek
en helemaal daarboven, buiten het bereik van kinderen…

Maar anderen proberen zich wat discreter op te stellen:

- Ze kopen er een samen met een paar andere dvd's, het liefst
  'gezinsfilms' (van Walt Disney, bijvoorbeeld), waar ze hem
  bij de kassa aangekomen tussen stoppen (à la 'een ongeluk
  ligt in een klein hoekje'). Goh, wat heeft die Assepoester
  opeens een voorgevel, denk je dan.
- Steeds wanneer ze er een kopen vragen ze of je een cadeau-
  papiertje hebt. Ongetwijfeld willen ze hem aan hun vrouw
  geven in plaats van een bosje bloemen… of aan een bevriend stel dat wel wat inspiratie kan gebruiken. Of ze vragen het omdat er geen plastic tasjes meer zijn… Je brandt
  van verlangen ernaar te vragen.

Je komt ook mannen tegen die ze alleen kopen als hun vrouw
er niet bij is, en dan betalen ze contant.

Natuurlijk zal ik het maar niet hebben (of toch maar wel,
want het is té komisch!) over het hoofd van een klant wiens
dvd zich niet laat scannen. Pal daarop hoort de hele wereld
die prachtige stem van je vragen: 'Afdeling tijdschriften, boe-
ken en dvd's alstublieft! Kassa vijf wil graag weten wat de film
Neuk me kost.' En ik zou weleens willen zien hoe jij er in zo'n
situatie bij staat.

Ach, wat een onvergetelijke herinneringen staan je te wachten!

Honger!!!

Tussen twaalf en twee uur 's middags zie je vaak klanten die hun lunchpauze benutten om boodschappen te doen. Maar je ziet er ook (soms zijn het dezelfde) die van de gelegenheid gebruik maken om ter plekke te lunchen. De supermarkt krijgt dan iets van een groot zelfbedieningsrestaurant. En sommige klanten lijken dan net een varken.

Wie weet betreft het een nieuw concept binnen het supermarktwezen.

Stel je eens voor dat je dit soort types aan je kassa krijgt.

Een eerste klant is bezig zijn sandwich tonijn-mayonaise naar binnen te proppen. Luidruchtig (nog eufemistisch uitgedrukt) en met zijn mond wagenwijd open, zodanig dat je geen ingrediënt kunt missen (hela, waar zijn de augurkjes?). Je vraagt hem of je z'n sandwich even mag lenen om de prijs ervan te scannen. Eerst moet je wachten tot hij een volgende hap heeft genomen, daarna reikt hij hem je aan, waarna hij hem meteen weer terugtrekt. Pas op voor je vingers. Hij betaalt en mompelt bij wijze van bedankje iets onverstaanbaars, wat gepaard gaat met stukjes tonijn en brood die bij jou op de band vallen. Hoera, je mag je doekje en allesreiniger eerder dan normaal tevoorschijn halen. Kijk uit: mayonaise vlekt nogal…

De tweede klant legt zijn boodschappen op de band, waaronder een zak chips die je oppakt en waarvan de complete inhoud over je kassa vliegt omdat de klant het niet nodig vond je te waarschuwen dat hij hem al had geopend. Sterker nog: hij vindt het nodig je uit te kafferen (dat lucht zo heerlijk op) en een nieuwe zak chips te eisen. Terwijl hij die gaat halen, aan jou de eer om snel je kassa schoon te maken. En pech gehad als je daar vette handen van krijgt; het past mooi bij je band, die ook al behoorlijk glibberig is.

De derde klant heb je al eerder gespot in de rij voor je kassa, waarbij je enigszins onpasselijk werd. Je zag hem namelijk een gezinsverpakking stinkkaas openmaken en erin bijten. Wanneer hij aan de beurt is, heeft hij hem al op. Je krijgt niet eens de tijd om je te verbazen over de snelheid waarmee hij hem heeft verorberd. De stank grijpt je naar de keel. En blijft na het vertrek van de klant nog behoorlijk lang hangen.

De vierde klant scheldt je uit omdat je haar de fles vruchtensap wilt laten betalen die ze volledig heeft leeggedronken en aan het begin van je kassa heeft neergezet. Och ja, je was het even vergeten: kassières zijn dom en blind.

Voor die periode tussen twaalf en twee uur 's middags moet je stalen zenuwen én een stalen maag ontwikkelen. En al snel vind je de klanten die etend door de gangpaden lopen al helemaal niet meer zo weerzinwekkend. Dat scheelt mij weer iets aan de kassa, denk je dan.

Mag je gaan lunchen? Eet smakelijk!

Drie halen, twee betalen!

Ik koester bewondering voor klanten (overwegend vrouwen) die alleen de 'koopjes' van de winkel in hun karretje doen en verder niets. Misschien is dat hun wraak vanwege hun steeds verder dalende koopkracht, of hebben ze het gevoel dat ze zo minder worden 'uitgemolken' dan andere consumenten.

Zo'n klant heeft een ijzeren wil. Ze stelt haar lange boodschappenlijstje zorgvuldig samen en weigert zich te laten verleiden door een artikel zonder korting. Bij de kaasafdeling zou ze graag camembert willen nemen, maar alleen bij de roquefort krijgt ze haar aankoopbedrag terug. Noch zij noch haar man is er dol op, maar niet getreurd: ze neemt zelfs vier stuks. Hetzelfde geldt voor de yoghurt. De actie 'Drie halen, twee betalen' gaat alleen op voor de aardbeienyoghurt, die haar zoon vreselijk vies vindt. Toch neemt ze hem maar. 'Het wordt aardbeienyoghurt, of anders geen toetje.'

Ze beschikt ook over een vooruitziende blik. Gezinspak wasmiddel ('Niet goed, geld terug'): vijf pakken. 'Je kunt er nooit te veel van hebben, we zijn thuis met z'n drieën.' Hetzelfde geldt voor het meel – dertig bonuspunten. Tien pakken. 'Dan heb ik meteen genoeg voor de kerstcake.' (Het is januari.)

Tot slot heeft ze ook veel geduld. Iedere keer kamt ze de hele winkel uit om maar geen enkel koopje te missen. Maar vooral bij de kassa is er geduld nodig. Voor ieder artikel waarvan de aankoopprijs later zal worden teruggestort heeft ze een bonnetje nodig. Da's dus makkelijk rekenen: dertig terug te betalen artikelen, dertig kassabonnetjes en ongeveer een kwartier geduld (en nog meer als ze met verschillende betaalmiddelen betaalt, zoals pinpas, contant geld, creditcard en kortingsbonnen).

En wanneer die premiejaagster aan jóúw kassa verschijnt, probeer je altijd even in te schatten of je met zo'n fijne klant te maken hebt die het systeem in elk geval kent. Anders loop je kans om, nadát je alle artikelen hebt gescand (vijfendertig), het totaalbedrag hebt genoemd (€ 52,38) en naar haar klantenkaart hebt gevraagd (twee keer, want de eerste keer reageert ze niet) te horen: 'Oeps! Ik heb voor ieder artikel een bonnetje nodig!'

Staan er mensen te wachten? De premiejaagster kan het niets schelen. Het enige dat telt is of zij haar fameuze bonnetjes krijgt, die sleutels tot het terugstortparadijs.

En ik stel me de koopjesklant voor als een ware keukenprinses: het moet niet eenvoudig zijn om dag in dag uit combinaties te laten slagen als sardientjes-in-olie (dertig bonuspunten) met kaaschips ('Win nu een bezoek aan Eurodisney'), of koffie ('Drie halen, twee betalen') met ketchup ('45% gratis'), of andersom… En prima hoor, acht keer in één maand witte bonen in tomatensaus uit blik ('100% teruggestort'), maar nóg een maand is toch echt niet leuk meer.

De grandioze klantenkaart in al zijn complexe eenvoud

Waarom zou je? Je hebt er weinig tot helemaal niets aan (nee, zet dat maar uit je hoofd, je wordt er geen miljonair mee). Het is domweg een (geniaal) middel van de verschillende ketens om klanten aan te sporen vaker bij hen dan bij de concurrent te gaan winkelen. Toegegeven: een pluchen kat cadeau bij 3000 punten (1 punt per in de winkel bestede euro), een dartspel bij 5000 punten, een plexiglazen fruitschaal bij 10.000 punten, een reis naar Disneyland bij een winnend lot, een draagbare dvd-speler (binnen een week kapot) bij 90.000 punten + 25 euro, of een cadeaubon van 5 euro, uitsluitend te gebruiken voor aanbiedingen… dit alles bij elkaar maakt dat je je bloedfanatiek op zo'n klantenkaart van je supermarkt stort en er per se steeds maar weer naartoe wilt om zoveel mogelijk artikelen te kopen.

Maar dit is slechts het topje van de ijsberg die klantenkaart heet, want er zijn er die ongelooflijke kortingen mogelijk maken, zoals 50 cent op de aankoop van een pak wasmiddel van 10 euro of 'een reductie die gelijkstaat aan de prijs van één artikel als u er vijf van neemt, mits u een klantenkaart hebt en u na vandaag terugkomt om het bespaarde geld in de winkel uit te geven' (de eenvoud van dit soort toelichtingen is verbluffend, vind je ook niet?). We kunnen hier ook nog de kortingsdagen noemen, waarop klantenkaarthouders (mazze-laars!) tot hun grote vreugde nog meer mogen kopen en zo nog meer kunnen uitgeven.

Maar nooit ofte nimmer moet je de uiterste houdbaarheids-datum van je kostbare punten of kortingsbonnen uit het oog verliezen, want als die eenmaal is verstreken verlies je het recht op alle voordeeltjes die je in de loop der maanden of zelfs jaren hebt opgespaard, dus zeg maar dag met je handje tegen het spel kaarten, de polyester knuffel of het fondue-stel...

Steeds weer sta ik te kijken van het gemak (of zou het minach-ting zijn?) waarmee de managers van het supermarktwezen hun klanten verwarren met kinderen die oog in oog komen te staan met een pak Omo en het 'supercadeau' dat erin zit. Maar gezien het succes van het fenomeen klantenkaart zou je moeten concluderen dat de consument zijn kinderlijke geest niet is kwijtgeraakt. En bovendien kun je tegenwoordig niet meer zonder 'onze klantenkaart'. Hoe meer je er hebt (om het even welke), hoe meer je het gevoel krijgt vat te hebben op de samenleving. Maar het belangrijkste is dat een kassière zon-der klantenkaart geen onderwerp meer heeft om aan te snij-den bij haar klant. ('Hebt u een bonuskaart?' 'Hoeveel punten heb ik?' 'Kan ik m'n airmiles voor geld inwisselen?' 'Kan ik met een kaart van de Leader Price bij de Lidl terecht?' 'Vorige maand had ik m'n kaart niet bij me; kunt u alsnog m'n pun-ten van toen erop zetten?') Dat zou heel jammer zijn.

Openen en sluiten: deugden en geneugten

'Wij wijzen onze geachte klanten erop dat de winkel over een kwartier zijn deuren sluit. Wilt u zo vriendelijk zijn u naar de kassa's te begeven? Wij wensen u nog een prettige avond.'

20.45 uur. Een golf van paniek. De klanten slaan op tilt. Geen minuut meer te verliezen. Iedereen rent van hot naar her.

En KLENG! Karretjes die op elkaar botsen.

En KLABOEM! De stapel dozen met bonbons valt om.

En 'Shit, ze hebben de sperziebonen al weggehaald!'

En BAF! Boter, kaas, melk en yoghurt in het karretje…. en 'Laat de rest maar zitten.'

En 'Waarom gaan ze nou al dicht? Stelletje ambtenaren!'

20.55 uur. Er komt geen muziek meer uit de luidsprekers.

'Snel, naar de kassa!'

Nog maar drie kassa's open. Een rij van een paar minuten.

'Oef, we hebben dus nog wel tijd om een pak pasta te gaan halen!'

21.00 uur. Het rolhek gaat naar beneden.

Het is zover. De laatste klant is afgehandeld. O nee! Daar

komt er nog eentje aanrennen, helemaal buiten adem.

Het licht begint te dimmen.

Het is zover: de dag is nu echt voorbij.

Je slaakt zachtjes een zucht van verlichting, vrijwel meteen gevolgd door een kreet van verbijstering.

Wat komt daar bij de afdeling brood en banket de hoek om? Een winkelwagen met daarachter... een stel dat geen enkele haast lijkt te hebben. Aan hun manier van lopen zie je dat ze absoluut niet van plan zijn nu al naar de kassa te gaan.

Maar er staat ze wat te wachten. Ook de bewaker heeft ze gezien.

Het is toch niet te geloven! Hij is degene die uitgescholden wordt. Het stel windt zich op. Je hoort hun ruziënde toon. Het gezicht van de vrouw is knalrood.

Ze zijn minstens vijf minuten aan het bekvechten, waarna het stel nijdig achter de bewaker aan loopt. Je denkt dat hij de strijd gewonnen heeft. Maar plotseling, wanneer ze nog maar een paar meter van je kassa verwijderd zijn, maakt de man rechtsomkeert en gaat op zoek naar een pak cakejes; een zaak van leven of dood, uiteraard. De vrouw duwt rustig, onverstoorbaar het karretje verder jouw kant uit, waarbij ze je recht in de ogen kijkt.

Hun verblijf aan de kassa? Een combinatie van getreuzel en botheid.

Een artikel op de band, een belediging ('Het is een schandaal. We zijn jullie beste klanten. We hebben het recht om in alle rust onze keuzes te maken!'). Een artikel, een belediging ('Rustig aan, je bent toch niet gestoord of zo?'). Een artikel, een belediging.

Er zitten heel wat artikelen in hun karretje...

21.25 uur. Het stel laat je kassa achter zich. Alle lampen zijn uit, behalve de jouwe, als een vuurtoren die bij nacht en ontij blijft branden.

Je bent al 25 minuten aan het overwerken. Die je niet krijgt uitbetaald en die pas gecompenseerd worden als je leidinggevenden daar zin in hebben. Altijd blijven lachen: het stel komt minstens twee keer per maand langs, en altijd op hetzelfde tijdstip. Niet de moed verliezen: de volgende keer dat ze tegen sluitingstijd komen aanzetten ben jij er niet, want dat is je vrije dag, bofkont!

Eén advies: neem een boksbal!

En wat weet de natuur het weer mooi te regelen! Het stel heeft een tegenhanger die luistert naar de naam 'Openen'.
En die weten wél wat opschieten is!

8.25 uur: uur 'U' – 35 minuten. Hun auto rijdt de parkeerplaats op. Ze zijn de eersten. Een vage glimlach van trots. Ze kunnen de beste plek krijgen, pal voor de ingang van de winkel. Eerste overwinning van die dag. Snel, geen tijd te verliezen: het beste karretje uitzoeken (zonder knarsende wielen, zonder troep erin, blinkend schoon)!

Uur 'U' – 30 minuten. Ze zijn er klaar voor, hun karretje staat met zijn neus tegen het rolhek gedrukt. Het begint te regenen. Ze zijn hun paraplu vergeten. In de auto gaan zitten wachten, en dan hun plek moeten afstaan aan degenen van de volgende auto? Tweede overwinning van die dag.

Uur 'U' – 15 minuten. Ze zijn doorweekt, maar nog altijd de eersten in een rij van een kleine... tien personen. En hopla: de

zoveelste overwinning van die dag. Ze worden steeds onge-
duldiger, het adrenalinepeil stijgt. Hun karretje staat te trap-
pelen. Laatste check van het boodschappenlijstje, waarbij in
gedachten alle gangpaden van de winkel de revue passeren.
Eenmaal binnen mogen ze geen seconde aarzelen. Kijk uit!
De regendruppels wissen het boodschappenlijstje uit. Geen
probleem: ze kennen het uit hun hoofd.

Uur 'U' – 5 minuten. Nu begint jouw dag. Diepe zucht, gevolgd door een langdurige geeuw. Met ogen die nog dik zijn
van de slaap ga je zitten en schuif je je la in de kassa. Je werpt
een blik op de ingang en ziet ze al staan, de zeven... acht...
tien... vijftien opgefokte types van die ochtend. Nog een diepe, langdurige zucht.

Uur 'U' – 1 minuut. Het druipnatte stel: 'Het is ook altijd hetzelfde met die tent. Ze gaan altijd te laat open!'

Uur 'U'. 'Goedemorgen. Welkom bij...' Het geluid van het
rolhek dat omhooggaat overstemt de rest van de welkomst-
boodschap.
    Het stel: 'Nee maar, het is zover.' En het hek gaat steeds ver-
der omhoog... Langzaam, te langzaam. Ze willen eronder-
door kruipen. De bewaker gebaart dat ze moeten wachten.
'Jullie zijn te laat. We hebben nog wel meer te doen vandaag!'
bijten ze hem woedend toe.

Uur 'U' + 30 seconden. En ja, ze zijn (eindelijk!) over de
drempel van de winkel, als eersten. Geen seconde meer te verliezen. Meteen naar de vleesafdeling. Er is niet genoeg voor iedereen.

Uur 'U' + 4 minuten. Ze arriveren als eersten bij je kassa. En die begint als eerste van de dag te bliepen. Bravo! Je bent onder de indruk: dertig artikelen, binnen vijf minuten verzameld. Zoiets is nog nooit vertoond. Je slaat ze gade. Ze staan daar ongetwijfeld te genieten van hun totale overwinning. Maar nee, integendeel. De man, geïrriteerd: 'Kunt u niet wat sneller?'

Uur 'U' + 7 minuten. Ze lopen weg van je kassa. 'Bedankt' of 'Tot ziens'? Waarom zouden ze? Druk, druk, druk... De uitgang van de winkel bevindt zich aan de andere kant van de rij kassa's.

Uur 'U' + 8 minuten. Het rolhek voor de uitgang is nog niet omhoog. Het stel heeft zich er witheet van woede voor opgesteld. Jij zit je te verkneukelen.

Uur 'U' + 30 minuten. Ze zijn weer thuis. Hun boodschappen zijn opgeruimd. Hun haar is nog nat. En de rest van de dag hebben ze niets te doen. De man niest... Buiten is het opgehouden met regenen... De zon komt tevoorschijn.

Wie van de twee stellen heb je liever: 'Openen' of 'Sluiten'? Je twijfelt? Misschien allebei op één dag?

'Zo hé, wat ben ik toch grappig'

Tot dusver heb ik een ietwat treurig beeld van de gemiddelde klant geschetst. Ik zal daar meteen iets aan doen door een paar figuren te beschrijven die om je te bescheuren zo komisch zijn. Hou je kassa goed vast, we gaan beginnen.

Een paar dagelijkse gemiddelden.

18 keer hoor je: 'Ik zal je eens flink aan het werk zetten!'
18 keer reageer je: 'Doe geen moeite, ik blijf hier liever zitten niksen' (of, als je op dreef bent: 'Dat zal niet gaan, ik zit hier maar voor de vorm!').

17 keer hoor je: 'Zat je op mij te wachten?'
17 keer antwoord je: 'Natuurlijk. Sterker nog: ik begon al ongerust te worden!'

15 keer hoor je: 'Als ik lief ben, reken je dan een leuk prijsje?'
15 keer antwoord je: 'Wat wilt u liever: twee of drie keer zo duur?'

10 keer hoor je (omdat de scanner een streepjescode niet wil lezen): 'Dan is het dus gratis!'

10 keer reageer je: 'Natuurlijk, en u krijgt uw karretje erbij cadeau.'

10 keer reiken ze je hun verzekeringspasje aan in plaats van hun pinpas, met de woorden: 'Mijn verzekering betaalt!'
10 keer reageer je: 'Zo hé, die verzekering wil ik ook!'

8 keer hoor je: 'Nu ik m'n boodschappen heb ingepakt hoef ik zeker niet meer te betalen, hè?'
8 keer antwoord je: 'Dan moet u nu wel hárd wegrennen!'

1 keer vragen ze je: 'Wat is het lichtste dier ter wereld?'
1 keer antwoord je (ook al kun je het antwoord dromen): 'Ik geef het op.'
1 keer antwoorden ze: 'De zweefvlieg!'

1 keer proberen ze een bekende persoon te imiteren.
1 keer reageer je (volkomen oprecht): 'Jane Birkin?'
1 keer reageren ze, teleurgesteld: 'Nee joh, George Bush!'

Niet zo zuchten! Zij hebben tenminste geen kwade bedoelingen en negeren je niet. Akkoord, het gevoel zwakzinnig te zijn geworden is ook niet heel opbeurend. Als je liever niet antwoordt, gun ze dan tenminste een glimlachje (ik weet het, daarmee moedig je ze aan het de volgende keer opnieuw te proberen).

En trouwens: weet je waar je een kassière aan herkent?
    Nee? Jawel: ze lacht altijd!

Een gezonde geest in een gezond lichaam

Mevrouw, meneer, bent u die oncharmante vetrollen van u zat? U droomt ervan uw lovehandles kwijt te raken? U komt niet meer op uw ideale gewicht?

Geen paniek; ga aan de kassa werken en u bent meteen al op de goede weg. De gedroomde oplossing ligt binnen handbereik, op de band.

Luister naar de wijze adviezen van de experts van Kassière & Corp® en doe de hiernavolgende oefeningen, die ervoor zorgen dat u in een recordtempo weer lekker in uw vel zit.

Afvallen
Dag in dag uit, week in week uit zorgen uw steeds wisselende werktijden ervoor dat u uw overtollige kilo's kwijtraakt.

Het voordeel: maaltijden overslaan staat ook in uw geval garant voor de eindzege. Kassière & Corp® heeft dit aangetoond.

Een kanttekening: in de pauze mag er natuurlijk niet gesnoept worden, hoe prachtig de automaat van de kantine ook staat te lonken met zijn chips en chocola, want de bandjes die deze tot gevolg heeft mogen dan nog zo heerlijk zijn bij het zwemmen, ze zijn funest voor uw droomlijf! Maar dankzij uw ijzeren wil blijft u ongetwijfeld verre van dat soort duivelse instrumenten en blijft u op het rechte pad van de fles bronwater (of kraanwater) en de appel, uw gezworen kameraden op uw werkplek.

Een kanttekening: het knorren van uw maag dreigt de piiiep van uw kassa te overstemmen. Maar wat maakt het ook uit, dat kunt u altijd op het conto van de stress schrijven.

Vergroot uw biceps

Ah, gezegend de winkels die eisen dat ook de gezinsverpakkingen bronwater via de band worden afgerekend, want dankzij deze extra inspanning kunt u, mevrouw, en u, meneer, tijdens uw werk aan de kassa uw armspieren zo heerlijk aansterken. Uw bicepsen zullen u eeuwig dankbaar zijn voor deze oefeningen, die eindeloos worden herhaald. En, denk erom: *keep the rhythm!*

Een kanttekening: Kassière & Corp® heeft niet kunnen vaststellen of het tillen van grote gewichten op de langere termijn peesontstekingen tot gevolg heeft. Sommige kassajuffrouwen klagen er geregeld over, maar Kassière & Corp® vraagt zich af of dat niet gewoon tussen hun oren zit.

U droomt van prachtige billen?

Geen probleem: uw houding tijdens het werk aan de kassa, zittend en dan weer staand, is ideaal voor dijen en billen. Geluksvogel! En wilt u een nóg beter resultaat, aarzel dan niet om dertig tot veertig keer per uur op te staan. Uw figuur sierlijk en soepel maken: prima haalbaar onder werktijd. Kassière & Corp® heeft het aangetoond.

Een kanttekening: er wordt beweerd (maar, zullen wij niet nalaten te vermelden, ook dit kunnen onze laboratoria niet aantonen) dat dit soort oefeningen diverse rugklachten kan veroorzaken. Sommige kassières – die zich niet hebben willen laten onderzoeken door de artsen van Kassière & Corp® – geven aan last te hebben van spit en een hernia. Uitspraken die dus beperkt blijven tot het geruchtencircuit...

Steviger borsten

Jazeker! Hoe ongelooflijk het ook mag lijken, een bestaan als kassière heeft een groot voordeel voor de dames onder u! U verplaatst met gestrekte arm al dan niet zware artikelen en laat deze een draai van bijna honderdtachtig graden maken, hetgeen een positieve uitwerking heeft op uw geliefde borstspieren. Het resultaat is al binnen enkele weken zichtbaar: uw borsten zijn steviger geworden!

Vervolgens zult u de uwe zorgeloos kunnen vergelijken met degenen die het (nog) niet zo hebben getroffen als u. Een vrouwelijke klant aan uw kassa? Een nieuwe kassière binnen uw gelederen? Bestudeer haar borstomvang en daarna de uwe, die al een aantal maanden kassawerk achter de rug heeft. Het verschil zal u vast niet ontgaan!

Kassière & Corp® heeft het aangetoond: kassières hebben een fraaie, ferme boezem. Hangborsten zijn verleden tijd!

Een kanttekening: er is een zeer kleine kans op een hernia, en het valt niet te ontkennen dat deze oefening geschikter is voor vrouwen. Sommigen mannen dreigen na enkele maanden een beha te moeten dragen. Maar geef toe dat de slotbalans positief is!

Verbeter uw weerstand

Had u veel last van verkoudheid, keelontsteking en griepjes voordat u besloot kassière te worden? Het onafgebroken contact met klanten (één op de zeven is drager van het virus wanneer er epidemieën als buikgriep heersen) is bevorderlijk voor uw immuunsysteem en maakt dat u na verloop van tijd bestand bent tegen iedere ziekte. Bovendien gaat uw gezondheid voor langere tijd vooruit dankzij de nabijheid van vrieskasten, automatische schuifdeuren die vrijwel altijd openstaan en de airconditioning.

Een kanttekening: er zijn stemmen die zeggen dat sommige medewerkers vatbaarder zouden worden voor virussen omdat ze er veelvuldig aan blootstaan. Men is bezig dit te onderzoeken, maar het is ongetwijfeld een storm in een glas water. Kassière & Corp® verdenkt een deel van het personeel ervan deze geruchten de wereld in te helpen, enkel om hun neus te mogen snuiten waar klanten bij zijn.

Word een ervaren visagist(e)
Omdat u dagen achtereen in tl-licht achter de kassa zit, verliest uw teint zijn natuurlijke glans. Niet getreurd: na enkele maanden bent u een expert in het aanbrengen van gezichtscrème (niet vergoed door de winkel) om uw grauw geworden huid weer wat glans te geven.

En benut uw pauzes om even te zonnen op de (lawaaiige en uitlaatgasrijke) parkeerplaats van uw winkel. Dankzij de reflectie van het zonlicht op de auto's wordt u in een recordtijd bruin (of knalrood).

Ontspan uw geest
Ook willen wij u hier wijzen op het feit dat de gesteldheid en ontwikkeling van uw geest baat hebben bij de automatische bewegingen en duizenden keren herhaalde zinnetjes, die het mogelijk maken uw brein in de slaapstand te zetten. Bij het verlaten van de winkel kunt u weer terug naar de normale denkmodus. Een prima manier om neuronen te sparen voor uw oude dag.

Een kanttekening: sommige klanten zien u aan voor een

kasplant of de dorpsgek. Laat ze maar praten, dat is goed voor hun eigenwaarde, en ze vinden het prachtig om ook de volgende keer bij u af te rekenen. U hebt uw eerste vaste klanten binnen. Kassière & Corp® is trots op u!

Dus, beste klanten, observeer de volgende keer dat u boodschappen doet de kassajuffrouwen zorgvuldig en ontdek de geheime bewegingen die ze de hele dag door maken om hun droomfiguur te boetseren.

Achter de kassa werken is nog beter dan regelmatig naar de sportschool gaan…

Kom maar op met die gezinsverpakkingen water en kattenbakkorrels!!!

Ga zitten, als je kunt

Ken je het spelletje stoelendans? Precies, en als kind vond je
het heel leuk om te doen. Bofkont! De directie van je winkel
biedt je de kans deze traditie nieuw leven in te blazen, en dan
vooral op zaterdag of vlak voor de feestdagen. Hoe gaat het
spel in z'n werk? Het is heel eenvoudig.

Het is zaterdagochtend rond halftwaalf, je komt aan bij je kassa, dolgelukkig vanwege de zoveelste werkdag die je staat te
wachten, en hoera, je ontdekt dat de stoel ontbreekt.
    Kijk, het spel kan beginnen.
    Hevig opgewonden werp je een blik om je heen, naar links
en naar rechts: alle dertig kassa's zijn in gebruik, één lange rij
van oplichtende cijfers. Heb je nu al verloren? Diepe zucht. O
wacht, je vat weer hoop: twaalf kassa's verderop blijkt toch
een lamp nog uit te zijn. Je schiet ernaartoe, zo snel als je benen je kunnen dragen. Wat een teleurstelling! Een collega is
vergeten de lamp aan te doen. Wat een stommerik! Je wilt het
haar net toebijten wanneer je blik op een onbemande kassa
en een lege stoel valt! Je knippert eens met je ogen; nee, het is
geen fata morgana, ze zijn echt allebei nog vrij. Wat is het leven mooi! Je sprint erheen. Met kloppend hart werp je je op
de stoel.

Heb je nou gewonnen? Nee, nog niet. Je moet hem zo snel mogelijk naar je eigen kassa dragen. Of je nu met of zonder stoel terugkomt, na vijf minuten van afwezigheid heb je verloren. En je hebt nog maar twee minuten.

Verdorie, hij is te groot, hij wil er niet uit!

Trekken, kluns, zo hard als je kunt!

Shit, hij heeft geen wieltjes. En bovendien is-ie loeizwaar!

Hou op met dat gejammer; vastpakken en rennen! Je hebt nog één minuut en nog zeventig meter af te leggen. Geef je het op? Je kapt er liever mee vanwege je hernia? Oké, maar dan ook niet zeuren dat je verloren hebt... Bied je verontschuldigingen aan, je hebt het karretje van een klant geraakt... Zo, ben je dan eindelijk bij je kassa? Geen seconde te vroeg!

Je zweet als een otter, maar denk je nou echt dat je kunt gaan zitten uitpuffen? Kom, het is mooi geweest, aan het werk. Die dag heb je minstens driehonderdvijftig klanten te gaan en er staan er al vijf te wachten (de slimmeriken... ze hadden je al in de gaten toen je op die stoel afrende). Geen sprake van dat je nu niet thuis geeft. Je komt je eerstvolgende pauze maar op adem.

Maar, zul je misschien opmerken, waarom heeft niet iedere kassa een stoel?

Antwoord: in het begin waren er genoeg stoelen, maar als een stoel vervangen wordt zodra hij de geest geeft, dat zou veel te gemakkelijk zijn. En bovendien is het een leuk spelletje, toch?

Gij zult niet stelen!

Grote supermarkten: je reinste grotten van Ali Baba, waar jammer genoeg voor alles moet worden betaald. Je moet een soort heilige zijn, wil je de verleiding weerstaan iets te stelen als je iets écht graag wilt hebben, er te weinig geld in je portemonnee zit of als je gewoon kleptomaan bent. Niets menselijks is je vreemd. Maar als je als klant niet betrapt wilt worden, moet je de volgende tactieken vermijden, want die kennen de kassières maar al te goed. Of pas ze aan.

De mooiprater
Hij is bijzonder welbespraakt, vertelt over zijn leven, tapt allerlei moppen en dit alles druk gebarend. Een echte clown, of beter gezegd: een ware goochelaar. Hij hoopt de kassière zodanig 'in slaap te sussen' dat deze de merkwaardig grote zwelling onder zijn jas ter hoogte van zijn buik niet opmerkt.

Dus, ben je een zwamkomiek à la Louis de Funès of Eddie Murphy? Dan kun je een poging wagen, maar je moet wel erg overtuigd zijn van je eigen talenten op dat vlak, want als je publiek weinig meegaand is, dreig je je volgende nummer te moeten opvoeren tussen twee agenten in.

Het stel dat elkaar uitkaffert

Terwijl de kassière bezig is hun artikelen te scannen, breekt de hel los tussen een man en een vrouw omdat ze een artikel dubbel hebben ingeladen of vanwege de kleur van het wc-papier. De spanning loopt op, ze gaan elkaar te lijf. De kassière weet niet hoe ze hierop moet reageren en slaat haar ogen neer. Ze grijpen hun kans en schuiven stiekem een rugzak vol boodschappen langs de kassa.

Deze tactiek kun je maar beter niet proberen, want de meeste kassières van tegenwoordig zijn verzot op echtelijke ruzies en volgen ze van begin tot eind. Tenzij je het zo bont maakt dat jij en je partner elkaar de kleren van het lijf rukken (een bijkomend risico is dat deze techniek misschien wat al te veel aandacht trekt).

De verstopper

De klant stopt een cd in de verpakking van een camembert, batterijen tussen het sixpack Coca-Cola... De kassières kennen alle producten die als 'dekmantel' kunnen worden gebruikt. Verzin iets wat écht goed is. Gebruik bijvoorbeeld een boodschappentas met een dubbele bodem. En kom niet aanzetten met 'Verrek, waar komt dat nou vandaan?' als de kassière je truc doorheeft...

De aansteller

Hij loopt je voorbij met zijn boodschappen en de detector gaat af. En meteen begint hij: 'Schandalig!', 'Hoe kom je erbij!', 'Scheld jezelf uit voor dief!', 'Dat apparaat is kapot. De vorige keer heeft-ie me dit ook al geflikt', 'Dit is de laatste keer dat ik hier kom!'... Hij hoopt dat de kassière of de beveiligingsmedewerker zo verbouwereerd is door zijn felle reactie dat die de inhoud van zijn tas niet controleert en hem laat doorlopen om verlost te zijn van zijn getier. Al kun je nog zo goed mensen de stuipen op het lijf jagen, deze tactiek wordt afgeraden. Zo oud als de weg naar Rome.

De hardloper

Hij spurt langs de kassa's met iets groots in zijn armen en overrompelt alle aanwezigen. Dit vereist een uitstekende lichamelijke conditie én een talent voor rugby, want anders loop je kans bij de uitgang getackeld te worden door bewakers.

De streepjescodekraker

Hij verwisselt de streepjescode van het artikel dat hij wil hebben met die van een minder duur product. Twee nadelen: tegenwoordig krijg je de stickers met streepjescodes heel lastig los (voor zover ze nog los te krijgen zijn) en ze scheuren snel. Daar komt bij dat je nettowinst met wat pech nul is. Een snelkookpan voor de prijs van een pak zout, daar trapt een kassière niet in. Je moet nooit denken dat ze achterlijk is. Die vergissing kan je de kop kosten.

De overrompelaar

Hij staat net als iedereen in de rij. De kassière ziet hem aan voor een normale klant die rustig zijn beurt afwacht. Maar plotseling verlaat hij de rij en haast zich naar de uitgang met een tas vol boodschappen onder zijn arm. Voordat de kassière kan reageren en ze de beveiliging waarschuwt, is hij er al vandoor. Hij gaat ervan uit dat zijn medeklanten sloom zijn en dat de kassière moe is. Gewaagd, maar heel goed gezien. De tactiek slaagt alleen als de bewakers ook doodop of zelfs even weg zijn. Je moet dus het moment waarop je toeslaat zorgvuldig uitkiezen en bijhouden wanneer het personeel pauze neemt. Eén seconde te vroeg of te laat kan fataal zijn.

Nog één punt van aandacht: wantrouw de rest van de klanten. Sommige mensen zijn geboren verklikkers en zullen niet aarzelen je aan te geven bij een kassière of de directie. Ja, echt waar. Kijk dus goed uit als je iets van de schappen wilt stelen (en een snelkookpan onder je trui, dat werkt dus niet!).

Goed, dit waren een paar adviezen waar je hopelijk iets mee kunt.

Veel succes!
  Een overval op een supermarkt?
  Je kunt het ook overdrijven!

Ik maak hier de dienst uit!

Je denkt dat je de baas bent achter je eigen kassa? Dan vergis je je. Vergeet je leidinggevende niet: met één oog waakt hij over je, met het andere houdt hij je in de gaten.

Maar wie is hij? Wat doe hij? Hoe leeft hij?

En hoe benut je die informatie optimaal?

In de winkel komen en gaan bijna evenveel leidinggevenden als kassajuffrouwen. Sommigen houden het een paar dagen uit, anderen jarenlang. Ze hebben allemaal hun eigen methode, doelen en principes.

De efficiënte baas

Hij is stap voor stap, door hard te werken omhooggeklommen, dus hij heeft die plek beslist verdiend. Hij kent zijn bedrijf door en door, kan alle problemen oplossen en staat bij het minste of geringste paraat.

Je kassa blijft hangen. Je belt met de centrale kassa (wat moet je anders?).

'M'n kassa zit vast.'

'Ik kom eraan,' roept je chef meteen.

Drieënhalve seconde later gaat de deur van de centrale kassa open, de baas komt tevoorschijn met in zijn ene hand de telefoon en in de andere een schroevendraaier. En hupsakee, met een brede glimlach begroet hij je klant van dat moment: 'Ik zal dit varkentje wel even wassen, het is zo verholpen.'

Echt, er bestaan sympathieke bazen, ik heb ze weleens gehad!

De eeuwig ontevreden baas

Ja, rustig maar, je hebt er ook mafkezen tussen zitten. Goh, hij zegt je vandaag niet gedag. Mag jij dat dan ook bij je klanten doen? (Nee? O ja, da's waar ook, jij bent niet de baas.)

Je komt ook chagrijnen tegen. Die krijgen het bijvoorbeeld voor elkaar je stress alleen maar groter te maken wanneer je bezig bent de kas op te maken, wat toch altijd een ietwat lastig karweitje is. Ook ontdek je al heel snel dat hun humeur een ontzettend leuk effect heeft op hun behulpzaamheid.

'M'n kassa zit vast. Hij doet niets meer.'

'Alweer? Ik word ziek van die klotekassa's. En van kassières die niet fatsoenlijk met hun materiaal kunnen omgaan.' (Gevolgd door iets onverstaanbaars dat ongetwijfeld ook negatief is.)

Even later verschijnt een van zijn ondergeschikten om de kassa te herstarten. In de tussentijd kun je je klant maar beter op een paar moppen trakteren, om te voorkomen dat de negatieve radiatie die plotseling rond de telefoon hangt overslaat op je omgeving.

De 'god-baas'

Dit type denkt alleen maar aan zijn carrière, zijn promotiekansen, zijn eigen belangen. Op een gegeven moment is hij vergeten dat zijn ondergeschikten ook nog rechten hebben. Zijn wapen? Buitensporig veel communiceren. Overal hangen briefjes met daarop doelstellingen en omzet- of winstcijfers. Je krijgt alles te zien. Je zou bijna denken dat je een soort partner van je winkelketen bent geworden, tot je geliefde baas zijn tanden laat zien.

Je zegt iemand van de medezeggenschapsraad gedag en babbelt een paar minuten met hem? Zeker weten dat je baas binnen een halve minuut vraagt of je een probleem hebt met gezagsverhoudingen…

Je wilt je werktijden aanpassen vanwege een privéafspraak? Reken er maar op dat je een week later een paar uur zit over te werken (die niet uitbetaald worden maar die je wel gecompenseerd krijgt… een halfjaar later), wil je je niet de woede van de god-baas op je hals halen.

En mocht je per ongeluk je meerdere tegenspreken omdat hij een besluit heeft genomen dat echt niet door de beugel kan, weet hij je met dat waterdichte argument meteen weer tot de orde te roepen: 'Ík ben hier de baas!'

Hopelijk heb je je lesje geleerd. Zo niet, dan zijn de gevolgen verschrikkelijk! Nee, anders dan op school krijgen je ouders geen briefje en hoef je ook niet honderd keer te pennen: 'Ik zal mijn geliefde baas nooit meer tegenspreken'. Hier wordt een ander spelletje gespeeld. Je eerstvolgende rooster heeft een verrassing in petto: een week lang ontzettend vervelende werktijden (heerlijk, tot aan sluitingstijd) of een andere werkplek. O, zit je liever achter de servicebalie? Ja, maar je glimlacht te weinig (je snapt hem al: 'Dat zal je leren, een hele week lang daar in de tocht!').

Het ergste is nog dat hij denkt dat je er beter door zult functioneren. En jij denkt dat jullie relatie er alleen door verslechtert? Dan moeten jullie wel een heel andere levensvisie hebben (of er andere doelstellingen op na houden…).

De 'missie:-glimlachen-baas'

Deze koerst in zijn beleid op de beoordelingen van *mystery clients*. Die houden alle medewerkers in de gaten en vertellen hem wat ze prettig, en vooral wat ze minder prettig gedrag vinden. (Ik zei je toch dat sommigen het klikken hebben uitgevonden.) En deze chef wil zo tevreden mogelijke klanten. Naar de werkvloer vertaald betekent dit: kassajuffrouwen die zo vaak mogelijk glimlachen.

Heb jij zo'n chef? Dan heb je geluk, want die wil het zijn medewerkers zoveel mogelijk naar de zin maken, hij is (bijna) altijd opgewekt en soms steunt hij je zelfs.

Het is een zeldzaam geval, dus niet meer loslaten als je er een te pakken hebt!

Puntje van aandacht: je onmiskenbare achterlijkheid dwingt je om eeuwig en altijd voor iedere handeling waarvoor je niet gemachtigd bent een beroep te doen op je chef of diens assistent (je mag zelfs niet een te veel aangeslagen artikel van de bon halen). En de bewakingscamera's volgen je de godganse dag. Met als gevolg dat je het wel uit je hoofd laat even een dutje te doen of zelfs wat geld te pikken, je neus te snuiten in het brood van een klant of in je neus te pulken. En dankzij de laatste generatie kassa's kan je baas je aanslagen *real-time* volgen en je desgewenst 'uitzetten'.

Als je nou nog niet begrepen hebt dat arbeid vrijmaakt…

Je lopende band: vriend of vijand?

Is de band van je kassa een willekeurig onderdeel van je werkplek? Nee, veel meer dan dat. Hij is je vriend! Hij komt als eerste in contact met je klanten en kan zich ontpoppen als een bijzonder waardevolle bondgenoot. Want hij heeft een aantal trucs in huis waarmee je je kunt wreken op mensen die je slecht behandelen. Ik noem wat voorbeelden.

Zo is er de haastige klant die je woeste, getergde blikken toewerpt (het is jóúw schuld dat het druk is) en zijn karretje leegt zoals je dat met een vuilnisbak doet. Je vriend de band maakt een kleine bokkensprong. En pof, het doosje eieren valt op de grond, en paf, een fles rode wijn valt naar beneden, met de nodige gevolgen voor de fraaie beige pantalon van de klant. Zo schiet hij niet bepaald op. Vooral omdat hij nu moet wachten tot er iemand komt om de boel schoon te maken. Arme stakker. (Als je moet lachen: hou het beschaafd.)

Dan is er de bellende klant die je straal negeert ondanks dat je hem net hebt geholpen al zijn kleingeld op te rapen dat op de grond was gevallen (er kon nog geen bedankje af). Je vriend de band slikt zijn pinpas in, die hij niet tijdig heeft weggehaald omdat hij zo druk aan het telefoneren was. Je klant moet minstens twintig minuten wachten voordat de pas eruit wordt gehaald. Nee maar, niet te geloven: hij praat tegen je!

Vervolgens heb je het joch dat aldoor zit te brullen terwijl zijn moeder in de rij staat (ongeveer een kwartier lang), dat zijn tong naar je uitsteekt en zijn chocoladekoekje in je gezicht smijt; hij raakt met een vinger bekneld tussen de band. Had hij maar niet moeten proberen hem tot stilstand te brengen. Het is geen speelgoed! Het gebrul begint weer, en hoe. Maar nu weet je tenminste waarom hij huilt.

Bij de klant die alle tijd neemt, die het niets kan schelen dat de winkel al tien minuten dicht is (herken je hem?) en maar één artikel tegelijk op de band legt, begint het ding opeens sneller te draaien, wat gepaard gaat met een afgrijselijk gepiep. Het zal nog een hele tijd duren, tot na zijn thuiskomst, eer hij weer normaal kan horen.

Maar de extreem aardige klant die jou, de kassière, glimlachend gedag zegt en zijn artikelen van zwaar naar licht heeft gerangschikt met de streepjescode naar de scanner (zo hé!), weet ook de band erg te ontroeren; die begint zachtjes te snorren. En alles loopt op rolletjes.

Ook gebeurt het dat de band je heel laf in de steek laat, vervelende klanten of niet.

Hij loopt dan over naar het andere kamp, dat van de klanten. Hij blijft maar doorlopen en stort alle artikelen als een kiepwagen over je uit. Er is geen houden aan, want hij betoont zich opeens zo ijverig dat je redding alleen nog van een noodstop kan komen (de grote rode knop die maar in de helft van de gevallen functioneert). De artikelen hebben er schade van opgelopen, en jij ook. Bovendien legt de klant alle schuld bij jou (krijg nou wat!). Met dat soort ondankbare apparaten reken je aan het eind van de dag af door ze een schrobbeurt met bleekwater te geven (je pakt ze terug waar je kunt...).

Ook loop je de kans op een dag met een band te moeten werken die het zat is om jaar in jaar uit rond te draaien en die er voorgoed mee ophoudt, onder het slaken van een langdurige laatste reutel. Een hartverscheurend geluid waar je uit opmaakt dat je vriend je verlaten heeft, je in de steek laat ten overstaan van een vloedgolf aan producten en klanten. De laatsten zien er alleen maar een technische storing in. Ze bijten je toe: 'Dat soort dingen heb ik altijd', schuiven mopperend hun boodschappen naar je toe en schelden je uit, want natuurlijk is hun pech aan jou te wijten. En de band, die geeft geen krimp. Onverstoorbaar. Roerloos.

Ik zit te ijlen? Ho ho, niet zo snel met je oordeel. Na verloop van tijd zijn er dagen dat je eenzaamheid en machteloosheid tegenover vervelende klanten zo groot worden dat alle hulp welkom is, zelfs die van een gebrekkige of wispelturige band.

Maak hem 's avonds met liefde schoon en aai hem even wanneer je 's ochtends binnenkomt. Hij zal dol op je zijn. En misschien, wie weet, verslindt hij op een dag een driftige klant of je afdelingschef.

Geld maakt gelukkig?

Het gebeurt weleens dat je aan het fantaseren slaat over het lichaam van een klant. En tot je verbazing zie je hem of haar dan opeens naakt voor je, of je droomt dat je zijn of haar voeten masseert (en meer als het klikt). En ook heb je klanten die je helemaal niets doen, maar die desondanks zo aardig zijn je te trakteren op bepaalde, bijzonder appetijtelijke delen van hun lichaam. Die hebben allemaal één ding gemeen: ze zijn doodsbang bestolen te worden en dragen hun contante geld lekker warmpjes bij zich. Een bepaalde leeftijdscategorie? Nee (iedereen kan last van paranoia hebben, jong of oud).

Wanneer er betaald moet worden heb je dus het geluk van dichtbij te worden geconfronteerd met:

- de weelderige hangborsten van mevrouw De Keersmaeker. En op de koop toe de grauwe bh (hij moet ooit wit zijn geweest) waarin ze haar bankbiljetten heeft gestopt. Dit alles in combinatie met een flinke snuf eau de cologne of pruimenlikeur (moeilijk te bepalen).
- de uitgemergelde voet met daaromheen de sok-met-gaten van meneer Bezaut, waaruit hij zijn briefje van 50 euro

trekt. Vervelende bijkomstigheid: een al te herkenbare lucht. O nee, misschien is dat de roquefort die hij gekocht heeft.

- de lekker bolle buik van meneer Vincenti. Het kost hem altijd vreselijk veel moeite om met zijn korte armpjes onder zijn trui te grabbelen in het borstzakje van zijn overhemd waarin hij zijn geld heeft opgeborgen. En je ruikt dat hij vandaag geen tijd heeft gehad om zich te douchen (gisteren trouwens ook niet).

In het geval van mevrouw Jordan zie je niets speciaals, maar je hoort haar zeggen: 'O wacht, ik kom geld te kort. Ik ga even naar de wc.' En wanneer je haar een paar minuten later triomfantelijk ziet terugkeren met een paar biljetten in haar hand, probeer je je fantasie vooral maar niet te laten werken. Het enige dat je doet is de briefjes met je vingertoppen van haar aannemen.

Ja, ja, ik weet het: geld stinkt niet. Vooral niet wanneer je kassière bent.

Ik betaal!

De boodschappen betalen: een plicht waaraan klanten zich graag zouden onttrekken. Je weet er het een en ander van, want ze zetten het je iedere dag betaald, iedereen op zijn eigen manier. Soms vraag je je zelfs af of je iets van hen gestolen hebt, gezien de dreigende blikken en de beledigingen waarop ze je trakteren. Het zal je dan ook misschien verbazen dat sommigen elkaar te lijf gaan om te mogen betalen. Ja, je hebt het goed gelezen. Ze gaan elkaar te lijf.

Bij wijze van voorbeeld de volgende scène, waar ik persoonlijk getuige van ben geweest.

Twee vriendinnen komen met een cd bij mijn kassa.

Kassière: '19 euro 99, alstublieft.'

Ze halen tegelijkertijd hun pinpas tevoorschijn.

Vriendin 1: 'Laat mij maar betalen.'

Vriendin 2: 'Nee, ik ben aan de beurt.'

Vriendin 1: 'Gisteren in het restaurant heb jij mij getrakteerd.'

Vriendin 2: 'Ja, maar vorige week was jij het die…'

Vriendin 1: 'Ja, maar jij had mijn concertkaartje betaald.'

Vriendin 2: 'Dat was voor je verjaardag, dus dat telt niet.'

Vriendin 1: 'Ik heb ook nog een dvd van je gekregen.'

Vriendin 2: 'Ja, maar die had ik je al veel eerder beloofd.'

Vriendin 1: 'Da's niet waar, ik had hem jóú beloofd.'

Vriendin 2: 'Dat doet er niet toe. Vorig jaar heb je mij vaker te eten gevraagd dan andersom.'

Het begint de kassière te duizelen. Maar het is nog niet afgelopen. Terwijl de ander bezig is te antwoorden, wil vriendin 1 haar pas langs de kaartlezer halen. Vriendin 2 pakt haar hand vast, zorgt ervoor dat de kaart valt en schuift de hare door de lezer. Vriendin 1 duwt haar opzij en weet de kaart terug te duwen, maar krijgt niet de tijd om de hare erdoor te halen. Vriendin 2 pakt allebei haar handen vast en gaat voor haar staan. Vriendin 1 verzet zich hevig en probeert bij de kaartlezer te komen die… van zijn plek schuift, tegen de kassa knalt en op de grond dondert. Maar het is nog steeds niet afgelopen. Vriendin 2 maakt van de verwarring gebruik om een briefje van twintig euro in de hand van de kassière te duwen. Vriendin 1 wil desnoods haar arm eraf rukken om het te bemachtigen.

Kassière (aarzelend): 'Als jullie iets met elkaar af te rekenen hebben, doe dat dan alsjeblieft buiten. Bloed vlekt nogal.'

Ze barsten in lachen uit. En vriendin 1 laat vriendin 2 betalen.

Volgens mij zegt deze anekdote het een en ander over een merkwaardig aspect van onze samenleving: 'betalen' als de enige manier om echt te bewijzen dat je met elkaar bevriend bent, zelfs al ken je elkaar al sinds de lagere school. En zo is het ook vaak in de liefde… Ik betaal, dus ik ben.

Aarzel niet je klanten hierop te wijzen. Eén iemand betaalt, maar het gaat uiteindelijk om de som der delen.

Kinderen aan de kassa

Kinderen kijken naar de wereld met een blik die heel scherpzinnig is, gevoelig, poëtisch, teder… Je gemoed schiet dan ook vol wanneer je ze hoort praten.

Nadat hij je kassa aandachtig bestudeerd heeft vraagt *de kleine Richard* (zeven jaar): 'Waar is je bed?'

De kleine Nicolas (negen jaar): 'En krijg ik ook centjes?' Want je hebt zijn moeder het wisselgeld teruggegeven.

De kleine Juliette (zes jaar): 'Zit je in de gevangenis?' Want je werkplek lijkt meer op een konijnenhok dan op een kassa in een supermarkt.

De kleine Rosa (vijf jaar): 'Mama heeft geen geld om d'r boodschappen te betalen. Ze kan je alleen een plastic kaartje geven.' Want de klant vóór hen betaalde contant en de moeder van het meisje had haar uitgelegd dat ze geen geld bij zich had.

Het zijn maar kinderen, dus je moet er vooral om glimlachen. Als daarentegen de ouders jouw situatie misbruiken om hun

kinderen angst aan te jagen, blijf dan glimlachen (dat is verplicht), maar het is niet verboden hen te corrigeren.

Dus als je een moeder naar jou ziet wijzen en tegen haar kind
hoort zeggen: 'Zie je, lieverd, als je niet goed je best doet op
school word je kassière, net als die mevrouw,' staat niets je in
de weg om tegen te werpen dat het helemaal zo'n gek beroep
nog niet is, dat het beter is dan werkeloos zijn en dat je een
prachtige studie achter de rug hebt (Een masteropleiding?
Poehpoeh).

Wanneer je dat niet doet, moet je niet gek staan te kijken
als kinderen je respectloos behandelen of je als een misluk-
king zien…

Ik heb een nieuwtje voor al dat soort weldenkende mensen: de tijd dat je met een universitaire studie op zak een
droombaan kreeg ligt ver achter ons. Tegenwoordig hebben
heel wat academici eenvoudige baantjes.

Fijn hoor, beste ouders/klanten, dat jullie ons gebruiken
bij de opvoeding van jullie kinderen, als voorbeeld van hoe
het niet moet! Het wordt tijd jullie kennis wat op te frissen.

De derde sekse

Steeds maar weer hoor je om je heen:

- meisjes zijn even slim als jongens (op school presteren ze zelfs beter);
- de records die vrouwelijke sporters behalen zijn even indrukwekkend als die van mannelijke. En bij het vrij worstelen zijn de dames bijna even bekend als de heren;
- vrouwen kunnen net zo autoritair, heetgebakerd en onbeschoft zijn als mannen;
- jongens zijn even knap, gevoelig, hoffelijk, oppervlakkig en lang van stof als meisjes.

De bewijzen liggen voor het oprapen.

Waarom doen we dan niets aan de situatie dat:

- je iedere ochtend 'kassière nr. ...' op je kassala ziet staan;
- jongens (vrijwel) systematisch de winkel in gestuurd worden om vakken te vullen, en meisjes niet;
- het woord 'kassière' algemeen gangbaar is, maar het woord 'kassier' niet;
- je het wel over 'kassajuffrouw' hebt, maar niet over 'kassajongen' of iets dergelijks;

- er veel meer meisjes achter de kassa zitten dan jongens;
- onze samenleving nog steeds vreselijk macho is?

O ja, da's waar ook: sommige supermarkten hanteren de inkeurige term 'kassamedewerker'. Discussie gesloten want het probleem is opgelost, nietwaar?

Ik kijk uit naar de dag waarop alle kassajongens, mannelijke klanten en bazen de handen ineenslaan... Dromen mag toch zeker?

'Deze kassa is gesloten'

Je maakt geheid op een dag mee dat je een klant moet meedelen: 'Deze kassa is gesloten.'

En die antwoordt dan ongetwijfeld: 'Ik heb maar één ding.'

De eerste paar keer mag je je dan laten overhalen om zijn broodje, zijn boek of spaarlampen af te rekenen, al snel leer je om beleefd te weigeren (er staat er altijd weer eentje achter die ook maar één ding heeft). Ja, inderdaad, zelfs kassières hebben het recht om te pauzeren en zich even te ontspannen.

Waarom is het in supermarkten toch altijd zo'n punt, die pauzes? Als je op kantoor werkt en even achter je computer weg wilt om te gaan plassen, een kopje koffie te drinken of vijf minuten met een collega te praten, hoef je toch zeker geen toestemming te vragen? Maar achter de kassa wel. Opeens blijk je weer in de schoolbanken te zitten.

Wil je een collega gedag zeggen die op een afdeling aan de andere kant van de winkel werkt? O nee, daar is onder werktijd geen sprake van.

Moet je naar het kleinste kamertje? Heb je wel toestemming gevraagd?

Wil je een kop koffie gaan drinken? Heb je daar een verzoek toe ingediend?

Heb je zin in een sigaret? Is je aanvraag ingewilligd?

Het is één uur 's middags, je hebt honger en bent pas halverwege je achturige werkdag? Heb je wel gevraagd of je mocht gaan lunchen?

In de supermarktsector gaat het zo in zijn werk (in elk geval bij de kassières). Je bent ingehuurd om achter de kassa te zitten, dus je mag je plek niet verlaten zonder toestemming van de centrale kassa. Wat betekent dat je altijd naar de telefoon moet grijpen, wat er ook gebeurt, hoe dringend het ook is...

Lijkt je dat kinderachtig en frustrerend (vooral als je naar de wc moet!)? Je moet er maar aan wennen.

En of je nu bij de kruidenier om de hoek werkt of bij een enorme supermarkt, je moet dezelfde weg bewandelen om je kassa te mogen verlaten.

En dan mag je zo'n leuk telefonisch vraag-en-antwoord-spelletje spelen:

'Krijg ik nu pauze?'
(Doorhalen wat niet van toepassing is:) 'Ja/Iemand komt je zo aflossen/Je wordt teruggebeld; er hebben nu al te veel mensen pauze/Nog even wachten, het is nou spitsuur bij de kassa's.'

Je glimlach of grimas – dat is afhankelijk van het antwoord – geeft aan wat er op dat moment door je heen gaat.

En soms, wanneer de centrale kassa laat weten dat je wordt teruggebeld, loop je zelfs het risico dat men je vergeet. Je belt pas na drie kwartier nog een keer (je bent namelijk solidair met de andere kassameiden) en krijgt met wat pech nog een keer te horen: 'Wat die pauze betreft, daar word je zo over teruggebeld.' Je grijnst als een boerin met kiespijn: het gevolg van een soort mentale jeuk. Die zul je moeten onderdrukken, vooral in aanwezigheid van een klant, die er tenslotte niets aan kan doen…

En *pling*! Daar is je glimlach weer en je bent klaar voor de volgende ronde.

Voor veel kassières is het moment waarop ze vragen of ze naar een zekere plaats mogen ook zo'n aanleiding voor plotse eenzaamheid…

Stel je eens voor: het is loeidruk in de winkel, je zit al twee uur te draaien op je stoel in de vergeefse hoop je plasdrang te voelen wegebben. Want je wilt niemand tot last zijn. Helaas ebt die drang niet weg, dus dien je op een gegeven moment noodgedwongen toch maar het verzoek in om je kassa te sluiten, zodat je je even kunt terugtrekken.

Je neemt de moeite de telefoon te pakken en probeert het zelfs zo discreet te doen dat je klanten niet doorkrijgen hoe vol je blaas is, dit alles terwijl je blijft doorgaan met het scannen van rollen wc-papier en pakjes ham.

Na meerdere pogingen (de telefoon is nog steeds bezet) neemt de centrale kassa eindelijk op.

'Mag ik even achter m'n kassa vandaan?' (Op rustige toon.)
'Hoezo?' (Op nare toon, dat werkt ook goed.)
'Ik moet naar de wc.'
'Eh, kun je niet even wachten?' (Doorhalen wat niet van toepassing is:) 'Over een uur mag je met lunchpauze/Je bent twee uur geleden al geweest/Maar je bent pas een uur bezig!'

'Ik moet heel nodig.'

'... Pfff (of iets dergelijks), ik stuur wel iemand om je af te lossen.'

(Nou, en dan maar hopen dat die aflossing snel komt!)

In sommige winkels hanteren ze bepaalde codes waarmee je heel discreet dit soort verzoeken kunt indienen. 'Ik heb code paars', 'Mag ik een 157?' En 'De zon schijnt' of '1945' klinkt ook lekker geheimzinnig.

Want zeg nou zelf: mededelingen als 'Ik moet heel nodig plassen', daar zit vast niet de hele wereld op te wachten... En dat sommige klanten vervolgens beginnen te lachen vind jij niet per se grappig.

Best nog een hele opgave dus, als kassière je blaas legen.

Maar genoeg hierover. Laten we het onderwerp 'pauze' verder uitdiepen. Het is feest, want je hebt gevraagd of je pauze mag nemen en dat mocht; je kunt zelfs even naar de kantine!

En hoe ziet hij eruit, die fraaie ontmoetingsplek waar alle medewerkers van de winkel elkaar kunnen tegenkomen? Wat is het toch voor iets, die ruimte waar alle kassières per se naar- toe willen zodra ze werk en klanten laten voor wat ze zijn?

Je hebt verschillende soorten kantines.

Het loopt uiteen van het achterafkeukentje (alles erop en eraan: tafel, stoelen, koelkast, koffiezetapparaat, magnetron) tot de eetzaal (waar trouwens geen eten wordt geserveerd...) met grote picknicktafels en – het liefst lekker smalle – banken. Nee, inderdaad, luxe is anders.

In heel grote supermarkten is de situatie nog weer anders. Daar staat geen koffiezetapparaat maar een koffieautomaat (natuurlijk niet gratis), snoep- en broodjesautomaten (ook niet gratis) en met wat geluk een 'waterkoeler' (die wel gratis

is, maar dan is het weer afwachten of er nog bekertjes zijn!).
Er staan een paar tafels en stoelen. Je moet niet met z'n allen
tegelijk pauze nemen, want er zijn niet genoeg zitplekken...
Nee zeg, het idéé dat iedereen op hetzelfde moment zou kunnen eten (je moet niet te veel willen!). En vervolgens moet je
in de rij staan om je eten op te warmen in de enige magnetron
die er staat (de luxe variant is de kantine met twee magne-
trons). Een gezellige zaal met als enige decoratie een prikbord
(mededelingen van de ondernemingsraad, de directeur, de
vakbond, een paar advertenties...). In de hoek liggen al een
halfjaar dezelfde tijdschriften.

Maar het schijnt niet overal zo te zijn. Ik heb van horen
zeggen (wat zou ik dat graag willen meemaken!) dat er supermarkten zijn waar je leunstoelen en een tv tot je beschikking
hebt (terwijl daar dan weer helemaal niets aan de muren
hangt en het schilderwerk ernstig aan het bladderen is).

Maar wat doe je in zo'n ruimte, afgezien van je broodje op-
eten?

Dat ligt toch voor de hand: praten! Over alles en nog wat,
je werksituatie, het contact met je collega's en je bazen. Kortom, het is de ontmoetingsplek waar je de wereld verbetert.
Maar om dat optimaal te laten verlopen kijk je eerst goed om
je heen om te controleren of er niet per ongeluk een leidinggevende of ander baasje binnen gehoorsafstand zit. Je mag
best kritiek leveren, maar je kunt beter niet hebben dat ze er
iets van oppikken... Zet er trouwens wel flink de vaart in,
want met drie minuten pauze per gewerkt uur (bij sommige
ketens krijg je iets meer: vier minuten per uur, asjemenou!)
heb je niet echt de tijd om alles te bespreken.

Een kleine situatieschets (met de stopwatch erbij).

Zes uur werken? Geluksvogel! Dat geeft je recht op achttien minuten pauze.

Je klokt uit, rent naar de garderobe om wat kleingeld te pakken voor een koffie/broodje/reep chocola: twee minuten (de gangen zijn lang en je moet een trap op).

Je gaat naar de wc en wast je handen: drie minuten.

Je loopt naar de kantine: één minuut.

Om tijd te winnen heb je jezelf aangeleerd in de pauze in je eentje te eten of je behoefte aan een warme maaltijd te onderdrukken, zodat je niet hoeft te wachten tot de magnetron vrij is. Zo win je twee tot drie minuten en heb je nog tien volle minuten om eens lekker op adem te komen.

Je gaat zitten en bladert door een oud tijdschrift dat al weken op die tafel ligt. De meeste artikelen ken je inmiddels uit je hoofd.

Daar komt een collega aan.

Jullie knopen een praatje aan, je hebt het over de werktijden, de eeuwig te korte pauzes, de meest recente klanten. 'Kun je het je voorstellen? Hij heeft het prijsje van het verchroomde koffiezetapparaat verwisseld, maar hij is een beetje dom, want die kosten geen 3 euro, dat zou lachen zijn, zeg!' Jullie hebben het ook over je familie, de eerstvolgende vakantie ('Zal de baas me die week vrij willen geven?'), de uitjes die je gepland hebt en de kinderen, die ze veel te weinig ziet…

Je lacht, nog altijd met een schuin oog naar de klok kijkend. Daar komt een andere collega aanlopen, en je achttien minuten pauze zijn nu alweer bijna voorbij. Je slaat je koffie achterover (je brandt je gehemelte? Pech gehad! De tijd dringt…), je propt de laatste hap van je broodje naar binnen en dan snel weer inklokken om vooral maar niet te laat te komen (want in dat geval heb je kans op een uitbrander van de baas). Je hebt nog één minuut (nauwelijks genoeg om de trap af te gaan) voordat je pauze voorbij is.

Je zegt je collega's gedag en rent weg. Met een opgeblazen gevoel in je buik klok je in en ga je terug naar je kassa, waar een paar klanten je al zien aankomen, klaar om je kassa te bespringen.

Drie minuten pauze per gewerkt uur: een prima manier om te leren wat *time management* is!

Kassières? Complete organisatiedeskundigen.

Hebt u tien of minder artikelen?

Je maakt een sprongetje van vreugde. Je mag achter de snel-kassa staan, die voor klanten met maximaal tien artikelen. Dat betekent een rustig dagje. Maar als ik jou was zou ik niet te vroeg juichen... 10 = 10? Dat geldt niet voor jouw kassa.

Veel succes!

$$10 = 20$$

Kassière: 'Goeiedag, hebt u tien of minder artikelen?'
Klant: 'Natuurlijk!' Hij legt twintig artikelen voor je neer.
Kassière: 'Ik moet u vragen naar een andere kassa te gaan.'
Klant: 'Luiwammes!'

$$10 = 11$$

Kassière: 'Goeiedag, hebt u tien of minder artikelen?'
Klant: 'Eh... Eén, twee, drie... elf. Mag dat ook?'
Kassière: 'Elf, da's iets anders dan tien.'
Klant: 'Je doet toch zeker niet moeilijk over één extra ding?'

Kassière: 'Tien is tien. Maar als u wilt betaalt u in twee keer, of u laat een artikel weg.'
Klant: 'Trut!'

$$10 = niemand$$

Kassière: 'Goeiedag, hebt u tien of minder artikelen?'
Klant: 'Ach, je hebt nu verder toch niets omhanden, dus je kunt best even mijn mandje doen!'
Kassière: 'Sorry, deze kassa is gereserveerd voor klanten met maximaal tien artikelen.'
Klant: 'Ambtenaar!'

$$10 = 5 \times 10$$

Kassière: 'Goeiedag, hebt u tien of minder artikelen?'
Klant: 'Ik heb zo'n vijftig artikelen, maar ik betaal wel in vijf keer.'
Kassière: 'Heel slim. Daar zou ik nou nooit aan hebben gedacht.'

$$10 = 10 \times 10$$

Kassière: 'Goeiedag, hebt u tien of minder artikelen?'
Klant: 'Nee, honderd, maar ik heb tien stuks van tien artikelen.'
Kassière: 'Dan is het goed.'
Eh ja, tien exemplaren van één artikel tellen maar voor één.

10 = *Rot op!*

Kassière: 'Goeiedag, hebt u tien of minder artikelen?'
Klant: 'Wat maakt dat nou uit? Ik werk bij de Unieprijs, dus
ik word altijd geholpen, door alle kassières.'
Kassière: 'Dat zal best, maar u bent hier niet bij de Unieprijs
maar bij de Prijsvechter!'
Klant: 'Rot op!'

Je laten uitmaken voor imbeciel en andere beledigingen,
steeds maar weer in discussie moeten treden, bekvechten,
nooit toegeven, onverbiddelijk zijn... Heb je nog steeds zin in
de snelkassa? Vertelde je me laatst niet dat je last hebt van een
beginnende maagzweer? Als je die wat meer body wilt geven,
is de snelkassa echt iets voor jou.

Voorrang, zei daar iemand voorrang?

Elke dag schijnt de zon. De konijntjes huppelen vrolijk over de grazige weiden. Het is vrede op aarde. De mensen leven in perfecte harmonie met elkaar, waarbij respect voor de medemens bij iedereen vooropstaat.

Een utopie? De konijnen huppelen niet vrolijk rond? Glimlachen niet? Hè verdikkeme, wat een pech…

Je zit achter een speciale kassa waar je mensen in een rolstoel, lichamelijk gehandicapten, zwangere vrouwen en mensen met kleine kinderen moet laten voorgaan. Dit rijtje moest hier even worden opgesomd, want reken er maar op dat je allerlei andere 'voorrangklanten' ziet verschijnen die stuk voor stuk een prachtige reden voor dat predicaat menen te hebben. Nergens wordt er zo gretig gebruik gemaakt van het woord 'voorrang'.

Voorrang voor:

- de klant die verschrikkelijk nodig moet plassen;
- de klant die al sinds vijf uur die ochtend op is;
- de vrouw die drie weken zwanger is;
- het stel dat over vijf minuten thuis wil zijn voor hun lievelingsprogramma;

- de moeder met drie kinderen van acht jaar en ouder;
- de man met een griepje;
- de vrouw die voor acht mensen moet koken;
- de vader die zijn zoontje moet ophalen bij de crèche;
- het meisje dat te laat op school dreigt te komen;
- de klant die allergisch is voor in de rij staan (heus waar)…

En als er iemand staat te wachten die écht voor mag, moet je ze soms met klem vragen of ze alsjeblieft hun plek willen afstaan. En wanneer ze dat dan doen, zuchten ze er soms bij.

Zeldzamer maar net zo merkwaardig is het tegenovergestelde geval: een hoogbejaarde man die je zijn invaliditeitskaart toont om te bewijzen dat hij invalide is.

Was iedereen maar zoals hij… dan zou je je vervelen.

Weet ook dat je af en toe een salomonsoordeel dreigt te moeten vellen: twee ouderen, er allebei zichtbaar slecht aan toe, komen tegelijk bij je kassa aan. Wie is het eerst aan de beurt? Wat geeft de doorslag? Het aantal kwalen waaraan ze lijden? Eén advies: laat ze het lekker zelf uitzoeken. Gegarandeerd dat de grootste chagrijn wint. Kun je je sympathie bewaren voor nummer twee.

Laat je niet overdonderen. Stuur de 'neppers' maar door naar de gewone kassa's. Daar horen ze thuis.

En nee, konijnen kunnen niet glimlachen. Neem dat maar van mij aan.

Identiteitscontrole: uw papieren alstublieft

Dacht jij dat een sticker als GEBRUIKT U EEN CREDITCARD? HOUD DAN EEN IDENTITEITSBEWIJS GEREED enkel een formaliteit is, aangezien iedereen dat altijd al uit zichzelf doet? Hoe naïef! Je ontdekt al snel dat sommige mensen niet zo snel met een identiteitsbewijs over de brug komen. Want hun 'identiteit' is heilig.

Natuurlijk, met een identiteitsbewijs kom je persoonlijke informatie over een klant te weten. Die wil misschien niet dat je leest hoe oud hij is (in het echt oogt hij veel jonger), wat zijn adres is (hij is paranoïde), zijn geboorteplaats (dat heeft een belabberd imago), haar meisjesnaam (ze schaamt zich voor de achternaam van haar vader, Buttler), of hij is ongelukkig over de gebruikte pasfoto (indertijd had hij veel puistjes). Wees dus voorbereid op allerlei fascinerende vragen en opmerkingen.

'Ben jij soms van de Inlichtingendienst?'
(Ja hoor, van de CIA.)

'Die creditcard is gewoon van mij hoor, ik heb hem niet gestolen.'
(En jij wilt zeker dat ik je op je woord geloof?)

'Vergeet het maar!'
(En de klant vertrekt zonder zijn boodschappen.)

'Wat raar. Jij bent de eerste die me ernaar vraagt.'
(Ja hoor, daar trap ik in.)

'Da's niet nodig, ik ben goed bevriend met je baas!'
(En m'n zus is Madonna!)

'Ik heb heus genoeg geld op mijn rekening.'
(Voor jou een weet, voor mij de vraag.)

Sommigen zien het zelfs als een geval van majesteitsschennis. Ze worden withheet van woede wanneer je naar hun identiteitsbewijs vraagt en schelden je uit als je hun creditcard vervolgens weigert. En wees klaar om te bukken, want je loopt kans dat ze hun boodschappen naar je hoofd smijten (inclusief de doos met computer). Ze voelen zich ongetwijfeld boven de wet verheven. Of misschien zijn ze wetteloos. Vaststaat dat ze ziek zijn (en ze moeten dan maar met hun pinpas betalen, waar jij als kassière helemaal niets wijzer van wordt maar die je baas allerlei rekeninggegevens verschaft).

Anderen geven je hun creditcard met het identiteitsbewijs van hun vriendin of oma. Wat lijkt die foto goed! Eh… ja, die hebben het prima begrepen.

'Wat maakt dat nou uit? En trouwens, daarnet was m'n vriendin er nog.'
'Kunt u haar niet vragen of ze even terug kan komen?'
(Gek is dat… jij hebt z'n vriendinnetje niet gezien.)

'Ze is al weg.' (Begint zich op te winden.) 'O, zak toch in de stront!'

En de klant pakt zijn creditcard terug en beent ervandoor, jou achterlatend met zijn boodschappen.

Wat er ook gebeurt, nooit toegeven (ook niet als hij je een klap voor je kop verkoopt). 'Iedereen die met een creditcard wil betalen dient zijn identiteit aan te tonen door middel van een geldig identiteitsbewijs voorzien van zijn of haar pasfoto.' (Art. 15 van de algemene leveringsvoorwaarden van deze supermarktketen.) Je leidinggevenden zullen er niet voor terugdeinzen om je bij het minste of geringste probleem te laten weten dat je 'je kassièreplichten' hebt verzaakt en het je betaald te zetten. Wees een onkreukbare kassière! (Maar aarzel niet om inwendig te lachen wanneer je die pasfoto ziet van meneer Kleinlein als twintigjarige, of vanwege het feit dat meneer Riton twee jaar geleden op de foto van zijn identiteitskaart kaal was en dat hij dat tegenwoordig duidelijk niet meer is.)

Hatsjie!

Interne mededeling (in reactie op verscheidene klachten van klanten):

Beste kassière,

Als je verkouden bent, wordt je verzocht thuis te blijven. Volgens de bedrijfsarts ben je niet echt ziek? Dat doet er niet toe; thuisblijven, smerige infectiehaard! Waarom? Dat is toch logisch? Je raakt de boodschappen van de klant aan met je handen, die vol bacteriën zitten, je niest om de haverklap, en als je je neus moet snuiten dreigt zijn brood onder te komen zitten!

Je bent verkouden omdat je de hele tijd hoestende en proestende klanten voor je hebt staan? En wat dan nog? De klant is koning. Het is zijn goed recht jou te besmetten met zijn bacillen en geen zin te hebben in de jouwe.

Prettige vakantie,
Je liefhebbende directie

Fijn, € 19,99*

Piiiep.

Kassière: '9 euro 99, alstublieft.'

De klant reikt je een briefje van tien euro aan. Je geeft hem 1 cent terug en bedankt in gedachten degenen die zulke handige prijzen hebben verzonnen:

- € 9,99 in plaats van € 10,–.
- € 19,99 in plaats van € 20,–.
- € 99,99 in plaats van € 100,–...

'Wat een koopje! Snel, schiet op, neem mee! Geen cent te veel, hoor!' zeggen de consumenten dag in dag uit tegen elkaar.

Als kassière moet je ze dankbaar zijn, degenen die de prijzen bepalen (en de euro ook een beetje), vanwege de onvergetelijke belevenissen die je dankzij hen meemaakt:

---

*   Niet alle EU-landen geven tegenwoordig nog muntjes van 1 en 2 eurocent terug.

- in plaats van tien minuten ben je 's avonds een kwartier bezig, dankzij alle muntjes van 1, 2 én 5 cent die je in de loop
van de dag hebt verzameld. En na afloop zijn je vingers be-
dekt met een laagje koper vermengd met... vuil;
- meer dan vijftig keer per dag zie je je verplicht te reageren
op allerlei vragen en uitspraken.

Klant: '19 euro 99? Kun je niet gewoon "20 euro" zeggen?'
Kassière: 'Tja, nee. Het is juist mijn vak om u de exacte prijs
te noemen.'

Klant: 'Kunt u de prijs niet gewoon naar boven afronden?'
Kassière: 'Daar ga ik niet over, daarvoor moet u bij de directie zijn.'

Klant: 'Hou dat klein grut maar.'
Kassière: 'Eén cent, dank u wel! Maar we mogen geen fooi-
en aannemen, hoe klein of hoe gul ook.'

Klant: 'Ik word gek van die muntjes in m'n portemonnee.'
Kassière: 'Leg ze maar opzij voor Coins for Care.' (Als de
klant het Engels niet goed beheerst of de organisatie
niet kent aan te vullen met 'Vrij vertaald: "Munten voor
Zorg", een liefdadigheidsorganisatie'.)

Klant: 'Ik kom één cent te kort. Da's vast geen probleem,
hè?'
Kassière: 'Het spijt me, ik zou graag op uw verzoek willen
ingaan, maar het mag niet.'

... Ja, zo paradoxaal kan het zijn.

Nog afgezien van het feit dat je '*Negentieneuronegenennegentigalstublieft*' veel minder snel kunt uitspreken dan '*Twintigeuroalstublieft*'. Per dag kan iedere kassière hierdoor ongeveer twee of drie klanten minder afhandelen. Als ik de directeur van een grote supermarkt was, zou me dat zorgen baren.

Nieuwsflits (in de categorie 'Van horen zeggen'):

Volgens de laatste berichten hebben veel Nationale Banken een gebrek aan muntjes van 1 en 2 cent. Te veel Europeanen sparen ze op, in glazen flessen en potten (dat staat zo leuk). Het gerucht gaat dat ze worden afgeschaft.

Verheugt u, beste klanten: er komt een dag dat alle prijzen worden afgerond.

Kassa De Liefde

Het gaat je goed af, daar achter je kassa? Je bent er helemaal één mee geworden, al je handelingen gaan vanzelf, je hoeft nergens meer over na te denken, je koestert geen verwachtingen meer maar bent ook nergens meer bang voor? Opgepast! Er dreigt groot gevaar: je leidinggevenden grijpen hun kans en zetten je voor een poosje achter de kassa van het pompstation dat bij de supermarkt hoort. En dan slaat de paniek toe! Dan ben je reddeloos verloren.

Om de schok niet al te groot te laten zijn, je je er geestelijk op voor te kunnen bereiden, volgen nu de grootste beproevingen die je te wachten staan.

Je krijgt te maken met een kassa die anders is dan je gewend bent, klanten die gasflessen willen kopen, die komen klagen omdat een pomp kapot is, als een bezetene beginnen te toeteren omdat je niet snel genoeg werkt, je vergiftigen met hun uitlaatgassen... En haal het vooral niet in je hoofd om te proberen beleefd te blijven, want dat haten ze.

Klant-kassière 1-0.

Je begint al wat zenuwachtig te worden? Er komt nog meer. Je bent er getuige van de meest prachtige scènes, een rampenfilm waardig.

De dag verloopt heel rustig, tot het moment waarop een jonge-
man binnenstormt en het meteen één grote chaos is. Hij rent
pijlsnel naar het tankstation, blijft bij de pompen staan en pakt
een brandblusser.

Hé, hij wil hem stelen! Ongelovig spring ik overeind. Hij
krijgt me in het vizier.

Hierop blijft hij staan en wijst ergens naar. Ik kijk in de rich-
ting die hij aanwijst en zie daar tot mijn afschuw pal naast de
gasflessen (een ideale parkeerplaats) een auto staan met ge-
opende motorkap waar de vlammen uit slaan.

Help, moord, brand! Ik kan op dat moment maar aan één
ding denken: de beveiliging bellen. Tegen de tijd dat die men-
sen arriveren heeft de automobilist de brand al weten te blus-
sen.

En intussen blijven de klanten hun benzinetanks vullen...
Klant-kassière 2-0.

Wees niet bang: je krijgt ook met échte schurken te maken
(diefstal, overvallen) en bent getuige van gewelddadige tafe-
relen (zoals twee automobilisten die met elkaar op de vuist
gaan omdat geen van beiden de ander wil laten voorgaan).

Klant-kassière 3-0.

Eén basisregel voor het geval je dat soort avonturen beleeft:
hou het hoofd koel en bel zo snel mogelijk de beveiliging (en
als je de stand bijhoudt, doe het dan in stilte).

En het is te hopen dat je er niet vlak voor een lang weekend
naartoe wordt gestuurd, of aan het begin van een vakantiepe-
riode. Je loopt het risico dat je er blijvende schade van onder-
vindt. Je zult merken dat het met al die pompen, ronkende
motoren, kinderen die brullend in de auto achterblijven, beledigingen van klanten die zo snel mogelijk vijfhonderd kilo-

meter willen vreten een bijzonder zware, oneerlijke strijd is. Klant-kassière 4-0.

Dus ja, het leven van een kassière zit vol verrassingen en gevaren. Daarom nog maar een advies: nooit op je lauweren rusten. Waakzaamheid is en blijft geboden.
In het pompstation werken heeft trouwens een belangrijk voordeel, in natura: je hebt daar je eigen wc (met deur), die zich op anderhalve meter van je kassa bevindt (inclusief de lekkende stortbak en geurtjes). Wat is het leven toch mooi! Klant-kassière 4-1.

En het heeft nog meer voordelen. Als je deze avonturen overleeft, heb je je vrienden heel wat sterke verhalen te vertellen. En wat nog wel het fijnst is: wanneer je weer in de winkel achter de kassa zit, hebt je het gevoel dat je in het paradijs bent. Alle beledigingen, claxons en overvallen zijn dan nog maar vage herinneringen.

Let op: het lijkt me niet verstandig onderstaande zinnen te lezen, vooral als je de laatste tijd wat last hebt van je zenuwen. Maar mijn beroepsethiek verplicht me ze hier toch op te schrijven. Ik zou me bijzonder ongemakkelijk voelen als ik geen gewag maakte van… de andere (on)prettige verrassingen die je te wachten staan.
Je moet namelijk weten dat je als kassière ook het risico loopt aan het werk te worden gezet bij de:

Ontvangstbalie
Bij de ingang van de winkel, dus. Het is niet zo moeilijk als je misschien denkt. Je hoeft alleen maar een paar goede antwoorden te verzinnen om klanten de mond te snoeren die

hun beklag komen doen over een van je collega's die hun geen gratis plastic tas heeft willen geven, over de muziek die te hard zou zijn, de te hoge prijzen, de te slecht bemande en gesorteerde vleesafdeling (ze hebben geen pens op z'n Luxemburgs), de te grote drukte… Je zult zien dat je het zo in de vingers hebt. Natuurlijk moet je ook allerlei andere foefjes beheersen, zoals geldteruggave, het ruilen van artikelen en het aanmaken van klantenkaarten. Je reinste kinderspel… na een paar weken oefenen met behoud van je glimlach… als alles goed gaat.

Kredietbalie

De moed ontbreekt me je te beschrijven wat je te wachten staat als iemand… Hoe krijg ik mijn klanten in de rode cijfers, dat is kort samengevat je taak hier. Maar als je die op een dag naar behoren weet uit te voeren, word je een trots gewaar die je tot het eind van je leven met je meedraagt. Ergens heb je het gevoel bankier te zijn geworden.

Centrale kassa

Het grote voordeel van deze werkplek: je hebt vrijwel geen contact met de clientèle en zit te werken achter een spiegelende ruit. Je kunt dus iedereen zien, maar niemand ziet jou. Zalig toch? De nadelen: de telefoon opnemen, in staat zijn het geld in de kluis te tellen en met behulp van een computer een streepjescode op te zoeken als een kassière scanproblemen heeft, roosters opstellen, binnen drie seconden een willekeurige vraag beantwoorden. Ik weet het, dit is niet iedereen gegeven. Vooral als de computer plat gaat. Maar dat gebeurt natuurlijk nooit, of bijna nooit…

Afdeling multimedia

Het goede nieuws: alleen de echt grote supermarkten hebben er een. Nog meer goed nieuws: mocht je op zo'n afdeling terechtkomen, de klanten daar zijn erg vriendelijk (ze zeggen je bijna allemaal gedag en glimlachen veel) en soms... vragen ze je om advies. Geen paniek. Je hoeft alleen maar te zeggen of de laatste van Shakira beter is dan de laatste van Bob Dylan, de nieuwe Bruce Willis beter is dan de nieuwe Harry Potter, of de laatste Harry Potter beter is dan de laatste winnaar van de Booker Prize. Oké, mensen adviseren is precies het tegenovergestelde van wat van een kassière wordt verwacht, dus je moet er wat moed voor verzamelen, tijd voor vrijmaken en een paar neuronen mobiliseren om een stuk of wat nieuwe artikelen die er verkocht worden te beluisteren, te bekijken of te lezen (doe vooral niet te goed je best). Maar ook als dat je lukt zal de euforie voorgoed deel uitmaken van je leven en verlang je misschien wat minder vaak naar je kassa.

Dit was zo'n beetje een complete rondgang langs de gevaren die je te wachten staan. Laat je niet gek maken. En... ik had er eigenlijk mijn opsomming mee moeten beginnen... Neem me niet kwalijk (hoe kon ik zo stom zijn), maar op de werkplekken die ik zo-even noemde komen alleen kassières terecht die er op het juiste moment naar vragen en vreselijk gemotiveerd zijn. De directie vertrouwt ze alleen aan de allerbeste toe (degenen met een diploma en die regelmatig nummer één zijn op het scorebord... of ook niet. Het hangt er allemaal maar van af in wat voor bui je leidinggevende is).

Er bestaat echter ook nog een andere kans op promotie (doorgaans van korte duur). Met wat geluk én als je over uitzonderlijke kwaliteiten beschikt (waar je winkel op z'n tijd graag gebruik van maakt) kun je een totaal andere functie bekleden, en wel op een van de afdelingen in de winkel zelf of in het kantoor van de supermarkt, ter vervanging van een collega die een paar weken of maanden afwezig is (vanwege een ongeluk, zwangerschapsverlof, langdurige ziekte…). Je springt een gat in de lucht: eindelijk verruil je je kassa voor iets wat je leuk vindt. Maar raak er niet te veel aan gewend, want als degene die je vervangt terugkomt, ben je gegarandeerd je fijne stek kwijt.

Het gaat dus om tijdelijke baantjes van hooguit een paar maanden. Om je zorgen definitief weg te nemen tot slot nog de opmerking dat minder dan vijf procent daarvan uitloopt op een vaste baan. (O ja, hang de vlag maar uit: de carrièrekansen van een kassière, waar dan ook, zijn nagenoeg nihil. Oei! Het ontbrak er nog maar aan dat je meer verantwoordelijkheid zou krijgen.) Nog een reden om niet jaloers te zijn: dit soort kassières wordt niet beter betaald dan jij en krijgt geen andere functieomschrijving. Op hun loonstrookje staat nog altijd 'kassajuffrouw'. En mochten ze tijdens hun invalbeurt misschien wat neerbuigend tegen je hebben gedaan, zodra ze weer achter hun kassa zitten zijn ze dezelfde kassières als altijd.

Je kunt dus weer rustig ademhalen. Uiteindelijk is het een storm in een glas water gebleken. En het tankstation dan? Helaas, die kans is altijd aanwezig, al vraag je er nooit om. Blijf dus op je hoede!

Trouwens: heb ik het al met je over de automatische kassa's gehad, die je misschien op een dag overbodig maken (omdat ze goedkoper zijn dan een kassière, hoe slecht betaald ook)? Daar hebben we het later nog wel over, als het weer wat beter met je gaat.

Game over

Werk je alweer een paar uur non-stop? Word je al moe? Opgelet! Het duurt niet lang of daar begint 'Piiiep Attacks!', een hoogtepunt van je werkdag.

Laat je gaan, neem een duik in dit onaardse verschijnsel.

Het is druk in de winkel. De wagentjes rijden kriskras door elkaar, in steeds grotere aantallen, met piepende, jankende wielen. Erachter en elders lopen gehaaste klanten onophoudelijk af en aan. De luidsprekers brengen krakend hun nieuwste aanbiedingen en het achtergrondmuziekje begint op ieders zenuwen te werken.

Overal klinkt geroezemoes, steeds luider. De grens is bijna bereikt. Nog even en hij wordt overschreden. En ja: het gebrul van een jongen is de spreekwoordelijke druppel waardoor je die andere dimensie betreedt.

Vanaf dat moment staat de wereld zestig seconden lang op zijn kop.

Het geroezemoes, de gesprekken, de muziek… alles verstomt.

Ook de klanten, je collega's, de hele supermarkt bestaat opeens niet meer.

Het enige dat overblijft zijn de piepjes van je eigen kassa, die reageren op die van een naburige kassa. En plotseling heb je het gevoel dat er zich een wedstrijd ontrolt; het is alsof een virtuele tennisbal heen en weer gaat tussen jou en je collega. Je speelt een spelletje Pong!

Na dit adembenemende tweegevecht gaat Arkanoid van start, de beroemde game waarin een bakstenen muur moet worden gesloopt. Je handen zijn het batje en de artikelen zijn evenzovele ballen die je naar het einde van je kassa moet sturen zonder ze te laten vallen of, erger nog, op andere boodschappen te laten botsen. Als dat gebeurt loop je het risico een agressieve bal te zien opdoemen (als zelfs de klanten gaan meedoen!) die in razende vaart op z'n doel afgaat... Maar over het algemeen is het goed te doen. Eigenlijk is het niveau best wel laag! Het enige echte probleem doet zich voor wanneer de boodschappen een driedimensionale bakstenen muur vormen.

Tot slot sta je oog in oog met de Big Boss (het grote monster aan het einde van een level), die steevast verschijnt wanneer er betaald moet worden. En op dat moment moet je snel handelen. Wil je van dit monster winnen, dan moet je niet vergeten hem te bestoken met de vraag naar de klantenkaart, hem een betaalwijze op te dringen waar hij niet omheen kan, en hem af te maken met een 'TotZiensPrettigeDagNog' in combinatie met een sprankelende glimlach. Maar wees op je hoede, want sommige monsters beschikken over geheime wapens als 'OngeldigeKaart' en 'OnvoldoendeSaldo'.

Zestig seconden later maakt het gedempte geluid weer plaats voor het gebruikelijke geroezemoes.

Je bent zo-even getuige geweest van wat bij mij te boek staat als 'Piiiep Attacks!'. Meestal doet het zich voor zodra je je zesduizendste piiiep van de dag hebt gehoord. Ook komt het

voor dat je een Pacman wordt (je weet wel, het muntjes hap-
pende gele rondje dat achternagezeten wordt door spoken).
Meestal word je dan na je drieduizendste artikel 'opgegeten'.

Streepjescode, zei u streepjescode?

Wie zegt dat je bestaan als kassière monotoon zou zijn? Die houdt dan geen rekening met het feit dat er klanten zijn. Dankzij hen is je werk dag in dag uit weer anders. Steeds opnieuw weten ze je te verrassen.

Zoals degene die zonder één artikel bij mijn kassa opdoemt, met alleen een lijstje in zijn handen. Hij geeft het me, waarna ik ontdek dat hij zorgvuldig de dertien cijfers van de barcode van alle artikelen (meer dan twintig) die hij wil kopen heeft genoteerd. Kijk nou toch, zeg ik bij mezelf, een klant die zijn tijd vooruit is. Hoopt hij dat terwijl hij zijn streepjescodes laat scannen een collega van mij met zijn bestelling naar zijn auto loopt? Of wil hij zijn boodschappen laten thuisbezorgen? Of heeft hij voor het gemak het principe van 'te omvangrijke artikelen kunt u afhalen bij de ontvangstbalie' toegepast op alle verkrijgbare producten? Ik ben er nooit achter gekomen. Toen ik weigerde ze te scannen, reageerde hij geïrriteerd: 'Zo doe ik dat altijd!'

O ja? Vreselijk jammer dat ik niet in een cybermarkt werk. Wilt u mij de adressen ervan doorgeven? Dan stuur ik ze een sollicitatiebrief. (Verrek! Een velletje papier is veel minder zwaar tillen dan een sixpack bier.)

En voor wie niet als een onnozele kassière het graf in wil, volgt dan nu de betekenis van de cijfers onder de zwarte streepjes van de barcode. Het zijn er meestal dertien (kleine artikelen hebben er maar acht). De eerste twee of drie cijfers staan voor het land waar de onderneming is gevestigd (300 tot en met 379 voor Frankrijk). Die daarna staan voor de producent, het soort product, of welke gegevens dan ook die nodig zijn om het artikel afdoende te coderen. Iedere productenfamilie heeft een unieke code. Het scannen van een streepjescode zal nooit meer hetzelfde zijn, hè?

Jemig, wat plakt dat

Misschien heb je het geluk op een dag kennis te maken met dit type…

Ogenschijnlijk heel sympathiek. Hij zegt me gedag en glimlacht er zelfs bij. En hij legt zijn boodschappen keurig op de band.

Proficiat, een tien!

Ik scan zijn yoghurtjes, zijn fles wijn, ham, kaas, zak chips… en ik voel iets plakkerigs.

Wat raar: in de verste verte geen pot jam of honing te bekennen, denk ik bij mezelf.

Nadat ik de zak heb doorgeschoven werp ik nieuwsgierig een blik op mijn vingers. Er hangt iets vreemds aan, een mij onbekend goedje. Al knedend breng ik het tot vlak voor mijn ogen. Nog altijd slaag ik er niet in het te identificeren. Ik trek eraan; het is elastisch en blijft aan mijn vingers plakken.

Opeens begrijp ik het: neuspulk! Ja, echt heel sympathiek van de klant om zelfs dit met zijn kassière te willen delen. Wilt u misschien een pakje papieren zakdoekjes bij uw chips?

Ik heb erg m'n best moeten doen om het kwijt te raken. Het plakte verschrikkelijk.

Dronken klanten

Een bezopen klant staat altijd garant voor verrassingen, goede ideeën of ongelooflijke gedachtekronkels. Kortom: een fascinerend fenomeen.

- Hij vraagt je bijvoorbeeld of je misschien een kurkentrekker hebt, zodat hij de fles wijn kan openmaken die hij daarnet heeft gekocht.
- Of hij wordt ter plekke stapelverliefd op de eerste de beste vrouwelijke klant die hij in een van de gangpaden is tegengekomen en achtervolgt haar met al zijn opdringerigheid de hele winkel door, een blikje bier in zijn hand.
- Of hij denkt dat hij de Kerstman is en doet enthousiast producten uit de winkel aan andere klanten cadeau.
- Of hij slaat ter plekke, op zijn nuchtere maag, een fles pastis achterover (zonder water, want de niet-alcoholische dranken staan te ver weg…).
- Of hij wordt smoorverliefd op jou wanneer je even naar de schappen loopt waar het bier staat (hoe haal je het ook in je hoofd om het flesje Chimay terug te brengen dat een klant een kwartier daarvoor bij je kassa heeft laten staan) en laat je dat vol vuur weten, wat gepaard gaat met hikken die een adem te ruiken geven waar de tranen van in je ogen schieten.

- Of daar heb je hém weer, die ditmaal zo stomdronken is dat je je afvraagt hoe hij de weg naar de supermarkt en de drankafdeling heeft kunnen vinden (vast een zesde zintuig). Maar het valt hem zwaar, vooruitkomen en tegelijkertijd alles ontwijken wat plotseling voor hem opdoemt: een Ferrari-achtig karretje, een gezinspak water (wat een vies woord!) dat op de grond staat, een stapel wc-papier (mijn hemel, vanwaar zo'n toren van Pisa? Eén tikje ertegen – lees: hij valt ertegenaan – en alles dondert op de grond)…

Dorst hebben valt nog niet mee.

Au, dat doet pijn!

Dacht je soms dat je je in een beschaafd oord bevond, ondanks alle beledigingen en het Big Brother-gevoel dat je werk met zich meebrengt? Vergeet het maar. Als ik zeg dat je achter de kassa de complete samenleving aan je voorbij ziet trekken, dan bedoel ik inclusief ál het negatiefs dat die in zich herbergt!

Iemand schreeuwt.

Een achtervolging van een paar meter door een gangpad.

Een bewaker en een andere man delen elkaar een paar klappen uit.

De eerste klanten blijven staan. En kijken toe.

De man komt tot bedaren. De beveiligingsmedewerker houdt hem stevig bij een arm vast.

Ze lopen een paar meter.

En weer gaan ze met elkaar op de vuist.

De toeschouwers – het worden er steeds meer – staan in een cirkel om de twee heen. Spanning en sensatie.

Het gevecht wordt steeds gewelddadiger. De klappen worden harder.

De kring van voorbijgangers vergaapt zich aan het gevecht.

Het is één grote verzameling mannen, vrouwen, kinderen, tassen en karretjes.

Uiteindelijk lukt het drie beveiligingsagenten om samen de woesteling te overmeesteren.

Nieuwsgierigheid. Voyeurisme.

Hoe bloederiger en ranziger, hoe mooier de mensen het vinden.

Wat een geluk! Er spuit bloed uit de neus van een van de bewakers.

Een mooie anekdote om mee te scoren tijdens het eerstvolgende familiediner.

De meute verplaatst zich collectief door de winkel. De agenten proberen de man mee te nemen naar een rustiger locatie. Ze slagen erin een paar stappen te zetten en dan is het opnieuw hommeles.

Wie is de aanstichter? Wie het slachtoffer?

Vier mannen gaan elkaar met geweld te lijf. Minstens dertig mensen staan erbij en kijken ernaar. Een vergelijkbaar aantal winkelmedewerkers slaat het schouwspel met open mond gade.

Zo gaat dat ook bij incidenten op de openbare weg. Iedereen kijkt, maar (vrijwel) niemand doet iets.

Het conflict wordt beëindigd na de komst van de politie, die de weinig fijnbesnaarde klant afvoert.

Nadat het spektakel is afgelopen en de laatste nieuwsgierigen zich weer in gang hebben gezet met een paar fraaie plaatjes op hun netvlies, blijft alleen een schoonmaker over, die de bloedsporen uitwist. De naweeën van een bokswedstrijd in een geïmproviseerde ring.

Een absurde gebeurtenis is voorbij.

Een gebeurtenis waarbij de mens puur vanuit zijn instinc-
ten heeft gehandeld.

En jij, jij zit daar achter je kassa, sprakeloos.

Ik beschuldig...

Toen je aan je baan als kassière begon, was je ervan overtuigd dat je alleen dingen zou leren die met je prachtige beroep te maken hadden. Dat was heel negatief gedacht! Je hebt een van de meest benijdenswaardige werkplekken die er zijn, want je bent er getuige van de menselijke stompzinnigheid in al haar facetten. En verrukt stel je vast dat die eindeloos is. Het water loopt je in de mond.

Het is zaterdag, een uur of halfnegen 's avonds. Je hebt de boodschappen van driehonderdvijftig tot vierhonderd klanten afgerekend (een prima dag). Over het algemeen gedroegen ze zich keurig, en sommigen waren zelfs ronduit aardig (ze begroetten je onder het bellen). Je oren beginnen weer normaal te functioneren. De promotiemedewerker van 'de Dag van het Bier' heeft een paar minuten geleden zijn microfoon uitgezet. Je lopende band is als nieuw. Je hebt hem liefdevol geboend. Je prullenbak hoeft niet meer open, want er is geen papiertje of chipje meer te zien. De winkel is bijna leeg. Je hoeft alleen nog met je geldla naar de centrale kassa te gaan, wat je vol trots doet. Je zegt bij jezelf dat het voor een zaterdag nog helemaal niet zo beroerd was. En om dat te vieren begin je je lievelingsliedje te fluiten (tenzij dat die dag al twintig keer door de luidsprekers heeft geschald). Op dat moment doemen er twee kerels bij je kassa op met drie flesjes bier.

Kassière (op vriendelijke toon): 'De kassa is gesloten, heren. U zult naar een andere kassa moeten. Er is er nog net een open, daarginds.' (Ze wijst naar een kassa een paar meter verderop.)

Kerel 1 (niet van het aardige soort): 'Kom op, reken dit nog even af. We hebben maar drie flesjes! Het is de Dag van het Bier, verdomme!'

Kassière (op gedecideerde toon, terwijl ze in stilte spijt heeft van de ijver waarmee ze haar kassa heeft schoongemaakt): 'Sorry, deze is gesloten.'

Kerel 1: 'Ik geef je een euro fooi. Je zúlt m'n flesjes afrekenen!'

Kassière (nog altijd op gedecideerde toon, maar inmiddels zou ze willen dat er een beveiligingsmedewerker kwam om hem op zijn gezicht te slaan): 'Bedankt, maar het zal niet gaan.'

Kerel 2 (op uiterst vriendelijke toon): 'Krijg nou wat! Kassières zijn toch zeker net hoeren! Als je ze een fooi geeft zeggen ze altijd ja! En nou ons bier afrekenen, rothoer!'

En op dat moment zegt de kassière bij zichzelf dat ze graag een soort Schwarzenegger was geweest, zodat ze dat tuig met hun hoofd – meerdere keren! – tegen haar blinkende kassa had kunnen rammen, onder het toewensen van: 'Fijne Dag van het Bier, klootzakken!' Dromen kan altijd.

En omdat niets op deze wereld zo vaak voorkomt als huf-
terig gedrag, hierbij het volgende advies, zodat je de moed
niet verliest: koop een boksbal.

De kassa hiernaast

Hoe krijg je ongestraft een klant op de kast?

Dat vraagt om een nogal uitzonderlijke situatie: jij die op het punt staat je kassa te openen maar nog even op zoek bent naar een onbezette stoel (eh, ja, voor de zoveelste keer); je collega twee kassa's verderop, die net achter haar kassa gaat zitten (zij heeft wel al een stoel); en tussen jullie in een onbemande, gesloten kassa (zonder stoel).

Een klant (het liefst een chagrijnige) meldt zich bij de kassa van je collega. Die nog lang niet klaar is met haar voorbereidingen (de actrice!) en hem doorstuurt naar jou. Eerste zucht. Hij ziet je niet (want je bent nog op zoek naar een stoel) en denkt dat je thuishoort achter de kassa pal naast die van je collega. Hij wacht tot je er weer bent. Tweede zucht. Je komt terug met een stoel (vooral niet te vroeg!) maar loopt achter zijn rug langs, zodat hij je niet ziet.

Twee klanten die al je handelingen hebben gevolgd storten zich op je kassa. Op dat moment waarschuwt je collega de klant (precies, degene die bij je buurkassa staat te wachten) dat je bent gearriveerd. Derde zucht, waarna hij uitroept: 'U had me wel even mogen zeggen dat ze een kassa verder werkt!' Vierde zucht. Hij loopt jouw kant uit, net terwijl een derde klant zich achter je kassa aansluit. Vijfde zucht. Je bent begonnen met het scannen van de artikelen van je eerste klant. Zesde, zevende, achtste, … zucht.

Je collega gebaart naar je dat ze open is (neem me niet kwalijk: haar kassa). Dan laat jij weten: 'Mijn collega is net opengegaan. U kunt ook bij haar afrekenen.'

Vijftiende zucht, gevolgd door een valse grom van de klant, die zijn mandje laat voor wat het is en pissig de deur uit loopt. Arme stakker. Wat kunnen kassières toch slordig zijn!

Morgen doen we het spelletje nog een keer, dat beloof ik.

Doet-ie het of doet-ie het niet?
Maak een prijs in zes stappen

Je zit nog in je proeftijd. Je wilt per se een vast contract. Wanneer je die zaterdagochtend opstaat neem je je dus voor om de beste kassière van de dag te worden. Die avond zal je nummer (ja, niet je naam! Je kunt het ook overdrijven) bovenaan op het scorebord van de centrale kassa prijken. Je kunt het! (Ter inspiratie help ik je er even aan herinneren dat de directie je ondanks die overwinning geen cent méér betaalt.)

Je bent alweer een uur bezig en zit in een prachtig ritme. Je besluit het tempo nog wat te verhogen, wanneer je opeens 'piiiep!' hoort.

En op het schermpje van je kassa verschijnt 'niet-bestaand product'. Precies, je hebt het goed begrepen: de scanner kan het artikel dat je in je handen hebt niet lezen. En zolang je de prijs ervan niet weet kun je niet verder.

Geen paniek.

Stap 1: tik de cijfers van de barcode in. Nog steeds niets? Da's heel normaal, want de kans dat het werkt is één op honderd. (Toch moest je het even proberen.)

Rustig blijven ademen.

Stap 2: bel de centrale kassa. De lijn is bezet? Het zit je echt niet mee. Even wachten. Intussen glimlach je vriendelijk naar je klant, die ongeduldig begint te worden.

… Nee maar, je krijgt iemand aan de lijn!

Kassière: 'Wat kost het Page-toiletpapier, extra zacht, vier lagen? De scanner pakt hem n…'

Centrale kassa: 'We sturen iemand langs.'

Nog even geduld (inderdaad, leuk is anders). Zeg maar tegen je klant (die rood begint aan te lopen) dat het nog maar een kwestie van een paar seconden is, en tegen degenen die achter hem staan dat ze beter een andere kassa kunnen opzoeken (want anders beginnen ze binnen de kortste keren te zuchten en te steunen, dat geef ik je op een briefje).

En dan volgt stap 3, ruim vijf minuten later: de beloofde prijzenspeurder is gearriveerd (geen seconde te vroeg, maar je kunt het hem moeilijk kwalijk nemen, want hij moet in z'n eentje dertig kassa's bedienen). Meteen werp je hem het pak wc-papier toe. De prijzenspeurder (hij is nieuw bij jullie) vraagt in welk gangpad hij moet zijn. Dat schiet lekker op! Je hebt zin om je klant met hem mee te sturen, maar doet het toch maar niet. Inmiddels is de man namelijk witheet.

Ga dan direct door met stap 4: probeer je klant een beetje te vermaken, zodat hij zich wat ontspant en niet wegloopt (als je niet uitkijkt laat hij je achter met al zijn boodschappen). Aarzel niet zwaar geschut te gebruiken: 'Ik heb een minibar onder m'n kassa. Wilt u een glaasje?'

Hij glimlacht. Het werkt.

Daar is je collega alweer, mét de prijs, dezelfde die je klant al had genoemd. Niet te geloven! (Een geluk bij een ongeluk.)

Snel, stap 5: bel de centrale kassa om het artikel met barcode en prijs te laten registreren in de centrale computer. Die vastgelopen is! Nu niet gaan flippen; nog 'een paar seconden' wachten. En blijven glimlachen, want je klant kan er niets aan doen.

Stap 6, negen minuten (…) later: piiiep! Het is zover, het zijdezachte toiletpapier is erdoor.

Je bent een kwartier verder en negen klanten armer? Je eerste plaats staat ernstig op de tocht. Maar dat hindert niets; win je gewoon volgende week zaterdag. Of je haalt de verloren tijd in door je lunchpauze over te slaan.

Nee hè, daar zul je een koopjesjaagster hebben. Het is echt je dag niet.

Komt allen tezamen op koopjesdag

De eerste dag van de uitverkoop: een centrale gebeurtenis in het leven van de goed geïnformeerde consument, die hij voor niets ter wereld wil missen. En voor de kassière (al is ze nog zo blasé) een reden om extra blij te zijn dat ze die dag mag werken en niet op een onbewoond eiland vakantie aan het vieren is.

8.25 uur: de stellen uit de categorie 'Openen', de slechte slapers, de koopjesjagers en 'de rest', het zijn er tientallen. Nooit eerder heb je zo sterk het gevoel gehad dat er oorlog is uitgebroken of, mocht je te veel horrorfilms kijken, dat de zombies aanvallen.

Vandaag is er niet genoeg voor iedereen. Geen medelijden dus! Ze werpen elkaar zonder pardon moordlustige blikken toe, duwen en trappen op elkaars tenen zonder één woord van excuus (moet je ook maar niet je voeten overal laten rondslingeren, kom op zeg!), beledigen elkaar (ik eerst!), grommen (terwijl blaffende honden...), gebruiken hun karretje als stormram, en pech gehad als daar een voet het slachtoffer van wordt (da's weer één concurrent minder).

8.55 uur: je komt aan bij je kassa en onderdrukt een geeuw. Angstig hou je die fanatieke types in de gaten. Bereid je er maar alvast geestelijk op voor dat ze al hun consumptieneigingen op je gaan botvieren. Het wordt een zware dag.

9.00 uur: de beesten worden losgelaten. Moge de beste (de meest agressieve) winnen!

Met z'n allen naar de media-afdeling om daar tegen 'een zacht prijsje' een plasma-tv te bemachtigen. Degenen die de dag ervoor het parcours hebben verkend weten zich er als eersten op te storten.

Te zwaar?

'Hindert niks. Ga jij erop zitten, schat, dan ga ik betalen. En gewoon bijten of trappen als ze proberen hem van je af te pakken!'

Ook de dvd-spelers vliegen als warme broodjes weg.

'Dertig euro? Spotgoedkoop! Ik neem de laatste drie.'

'Er zit geen afstandsbediening bij, dus kun je de menu's van je dvd's niet gebruiken.'

'Hindert niks. Een koopje blijft een koopje.'

En de kledingafdeling, die vóór de opening met veel toewijding door je collega's is ingericht, ligt er binnen het kwartier bij als een slagveld.

Een klant heeft de jurk van haar leven gezien? Ze rukt hem uit de handen van een ander meisje, dat hem net van de hanger heeft gehaald, waarbij ze een stapel truien omgooit. Wat maakt het uit? Het is toch de jurk van haar leven? Van oor tot oor glimlachend struint ze als een medaillewinnaar de rest van de afdeling af. Maar wat ziet ze daar opeens, een meter verderop? De enige echte jurk van haar leven. Wat doet ze dus? Die van daarnet als een oud vod op de grond gooien. De verkoopsters vinden het vast prachtig om hem op te rapen. Daar worden ze voor betaald. En ze stort zich op de enige echte jurk van haar leven.

Veel te klein?

'Hindert niks. Vanaf morgen ga ik lijnen.'

Verderop heeft een klant een wollen sok van haar leven te pakken, groen met mooie kronkelige inktvisjes.

De andere sok ontbreekt?

'Hindert niks. Ik haal de hele bak overhoop om hem te vinden. Wat maakt het uit als ik de helft op de grond gooi? Is veel makkelijker zoeken voor de andere klanten. Ze lopen eroverheen? Da's niet mijn pakkie-an.'

9.10 uur: nu ben jij aan de beurt, lieve kassière. Geniet met volle teugen van de eerste impulskopers die je kassa passeren. Je zult nog staan te kijken (al ben je nog zo wereldwijs) van het aantal artikelen dat je winkel verkoopt, artikelen waarvan je niet eens wist dat ze bestonden (terwijl je hier alweer een paar maanden werkt). Het is één grote optocht van onverkochte en onverkoopbare voorwerpen, nutteloos en onbruikbaar.

De wals van de uitverkooppiepjes begint.

Soms, in een opwelling van helderheid (heb ik het eigenlijk wel nodig?), door een sprankje gewetenswroeging (ik sta nu al 800 euro rood) of dankzij een combinatie van deze twee, nemen sommige klanten op het laatste moment een paar van hun superkoopjes toch maar niet. Dus niet gaan mopperen als je op het kauwgomrek aan het begin van je kassa barometers in de vorm van een deegroller aantreft, wekkers op zonne-energie (zonder batterijen), enorme pantoffels in de vorm van een koe (met uiers), onderbroeken zo groot als een tent, schoppen zonder steel... Breng ze na werktijd rustig terug naar de juiste afdeling, voor de volgende koopjesdag. Het is trouwens ook wel prettig je benen te kunnen strekken na bijna een hele dag achter je kassa te hebben gezeten.

En je hebt nog meer dan normaal het gevoel een afvalsorteerster te zijn geworden. Heel wat klanten zien je lopende band aan voor een prullenbak en kieperen er zo hun karretje of mandje over uit. Aan jou de eer om vervolgens zo snel mogelijk hun koopjesberg in ontvangst te nemen en te verwerken. Bij de meesten van hen rijmt 'uitverkoop' akelig goed op 'vuilnishoop'. Een beetje fatsoen weten ze tegenwoordig niet meer op te brengen. Gelukkig kun je nog een beroep doen op je vriend de lopende band. Schoksgewijs zorgt hij ervoor dat ze omvallen, de stapels tuinkabouters, plastic bakjes en bloempotten, en hij verslindt een flink aantal slipjes en T-shirtmouwen (verdomme, is-ie me daar helemaal kapot, en het was de laatste).

Je hebt al heel wat meegemaakt, maar grote kans dat je de hele dag een nieuw genre discussies mag voeren:

'Heb je niet de oorspronkelijke prijs gerekend? Ik vind het nogal duur!'
'Nee hoor. Ik controleer telkens of de korting eraf is gegaan.'

'Er staat geen prijs op, maar hij kost 1 euro.'
'Ik bel even iemand om het na te vragen.'
'Maar 'k zeg toch wattie kost! Ik sta hier m'n tijd te verdoen.'

Iemand van de desbetreffende afdeling komt je de echte prijs vertellen: 15 euro.

'Huh? Zo duur? Volgens mij stond er dus heel wat anders. Maar laat ook maar, ik hoef 'm al niet meer.'

Ook bel je (opgewekt glimlachend) een keer of twintig met je afdelingshoofd om aankopen te annuleren. Sommige klanten denken namelijk dat koopjes helemaal niets kosten. Afgezien van een paar vrekken zijn het niet de rijkste mensen die op zo'n dag langskomen. Anders dan degenen met een laag of modaal inkomen koesteren mensen met geld geen wraakgevoelens, hoeven ze niet het recht op te eisen ook eens flink te kunnen consumeren. Kortom: de uitverkoop is een prachtige manier om zelfs degenen die eigenlijk geen cent hebben geld te laten uitgeven.

De eerste dag van de uitverkoop is ideaal om zicht te krijgen op de ware aard van de eenentwintigste-eeuwse consument. Een uitzonderlijke dag dus, die iedere zichzelf respecterende kassière minstens één keer in haar leven moet hebben meegemaakt (en vaker zelfs als het goed bevalt). En als je de mensen die eerste dag niet meteen weet te doorgronden, heb je nog een week of zes om ze tot in al hun finesses te leren kennen. De eenentwintigste-eeuwse consument heeft dan geen enkel geheim meer voor je.

Ach, heb je de uitverkoop gemist? Niet getreurd! Na dit eerste prijzenfestijn volgen nog de feestweken van de superaanbiedingen, de bonuskortingen, de kassakoopjes en meer van dat soort opruimacties. Vraag niet hoe het kan, profiteer ervan!

Ja gezellig, de weekafsluiting

Wil je nog meer spanning en sensatie? Koester je al lange tijd de hoop de wereld ooit te tonen dat ook een kassière een (bijna) volwaardig lid van de samenleving is? Met flink wat doorzettingsvermogen en een beetje geluk zou je dat kunnen bereiken.

Het is zaterdagmiddag, het regent en er lopen veel mensen door de winkel te slenteren. Mijn collega van de ticketbalie (ja, nog zo'n plek waar een kassière terecht kan komen) is aan het lunchen en ik neem even voor haar de honneurs waar.

Ik begroet een meneer in pak met das die een stuk of tien kaartjes voor een pretpark wil hebben. We praten wat terwijl ik probeer te achterhalen waar ik de tickets kan vinden en hoe ik ze kan afdrukken.

Nadat ik hem gevraagd heb hoe hij wil betalen, reikt hij me een paar cadeaubonnen aan. Ik kijk er even naar en zeg dan: 'Het spijt me, maar daarmee kunt u hier niet betalen (ik wijs hem op een kaarthouder op de toonbank die aangeeft welke betaalwijzen worden geaccepteerd). Ziet u? Hier staat het.'

'Maar toen ik deze bonnen kocht hebben ze me dat er niet bij verteld!' werpt hij tegen.

Omdat we vaker met dit misverstand te maken hebben en

we de mensen snel, op systematische wijze tot bedaren willen brengen, gebiedt het protocol dat we dan het hoofd van de kassa-afdeling bellen om die het verhaal te laten bevestigen. De klanten zien dan dat we geen onzin verkondigen (per slot van rekening ben je slechts een kassière).

Ik bel dus de centrale kassa en vraag: 'Het is toch zo dat die cadeaubonnen met zo'n blauwe rand niet kunnen worden ingeleverd bij de ticketbalie, hè?'

'Ja, ja,' krijg ik te horen.

Ik hang op en richt me weer tot de klant, waarbij ik hem nog een keer laat weten (inderdaad, soms ben je net een papegaai) dat ik zijn cadeaubonnen echt niet mag aannemen.
Maar zo snel geeft hij zich niet gewonnen. 'Bel je baas maar, ik wil hem spreken.'

'Geen probleem. Ik zal vragen of hij even langskomt.'

En ik grijp weer naar de telefoon. 'Hier ben ik weer! Zou je deze meneer hier even willen komen uitleggen dat zijn cadeaubonnen niet gebruikt kunnen worden bij de ticketservice?'

Waarop ik aan de andere kant van de lijn hoor (op spijtige toon): 'Ai, helaas, dat gaat zo snel niet lukken. Ik zit hier helemaal alleen bij de centrale kassa en onze bazin is bezig een kassaconflict op te lossen. Je zult je er zelf uit moeten zien te redden.'

(Zuur:) 'O... Ik zal zien wat ik kan doen.' Ik hang weer op en draai me om naar de klant, een glimlach forcerend: 'Het spijt me, maar mijn leidinggevende is momenteel bezig met een andere klant, dus ze kan u niet te woord staan.'

Het gezicht van de klant wordt knalpaars. Hij begint te schreeuwen (zodat iedereen ervan mee kan genieten, wat dan wel weer heel sympathiek van hem is) en te tieren. Ik weet me te beheersen maar sla nu zelf ook een iets andere toon aan, want kijk, we zijn er om de mensen te helpen, goed, we moeten ze respectvol behandelen, oké, maar om je nou te laten uitschelden vanwege iets waar niets aan te doen valt, en waar sowieso niemand invloed op kan uitoefenen, dat gaat wat ver.

Met als gevolg dat we een fraai stukje verbaal vuurwerk ten beste geven.

Hij schreeuwt.

Ik ook.

Hij brult.

Een paar klanten komen stilletjes aangelopen om vooral niets van de vertoning te missen. O schouwspel, wanneer je je tentakels uitstrekt... Ja maar, je hoort niet iedere dag een kassière en een klant ruziemaken!

Deze 'discussie' is hoe dan ook gedoemd niets op te leveren, tenzij een van de twee opeens bakzeil haalt. Een paar onaangename minuten later (schreeuwen is leuk in een voetbalstadion, maar beduidend minder achter de kassa) ontwaar ik in een ooghoek een afdelingschef. Wat een geluk! Gezien onze luidruchtige woordenwisseling móét hij er wel iets van hebben gehoord. Hij komt vast en zeker deze kant uit om te scheidsrechteren. De hoop is van korte duur. Hij doet alsof hij niets ziet of hoort en loopt naar een andere afdeling...

Uiteindelijk haalt de klant zijn pinpas tevoorschijn.

Met een woest gebaar werpt hij hem mijn kant uit.

Hij valt op de grond.

Geërgerd raap ik zijn kaart op, ik geef hem terug en laat de klant op rustige toon weten: 'Meneer, ik weiger u te helpen. U bent veel te ver gegaan, ik ben uw hond niet!'

'...'

De woordenstrijd is ter plekke voorbij. De man excuseert zich, betaalt zijn kaarten en loopt weg.

Een minuut of tien later komt eindelijk een van de meisjes van de centrale kassa langs. Ze vraagt wat de uitkomst is van het conflict. Ik vertel haar van de ruzie, waarna ze tegen me zegt: 'Ga maar, neem nu maar pauze. Ik zorg wel voor een vervanger.'

Heb je de steun van een leidinggevende nodig? *Het nummer dat u hebt gekozen is in gesprek.*
Weet je desondanks zeker dat je het bij het rechte eind hebt? *Pas op hoor, je bent maar een kassière.*
Wil je de mensen van dienst zijn? *Nogmaals: je bent maar een kassière.*

En de moraal van dit verhaal? Een paar dagen later wordt er een maatregel ingevoerd. De cadeaubonnen die ik eerder bij de ticketservice weigerde worden voortaan wel geaccepteerd.
Neem me niet kwalijk, dit is geen moraal. Maar waarom zou die er moeten zijn?

De grote kerstkoorts

Ah, Kerstmis! Die prettige feestdagen waarop iedereen alles met elkaar deelt? De eerlijkheid gebiedt me te zeggen dat het voor jou, lieve kassière, op 24 december van hetzelfde laken een pak is als de eerste dag van de uitverkoop: keihard doorwerken vanwege een nog groter aantal te scannen artikelen, topdrukte, tastbare ergernis van klanten, uitverkochte artikelen, impulsaankopen, mensen die sneller hun geduld verliezen...

Zeg maar dag tegen je kinderzieltje! Ik weet het, het is treurig, maar als je het wilt behouden moet je een ander vak kiezen.

Die ochtend is het weer prijs. Het is oorlog en de zombies vallen aan: de klanten staan als een horde lemmingen voor de deuren van de winkel (die – let op! – niet om 9.00 uur maar om 8.30 uur opengaat, een wereld van verschil).

Met de bekende angst iets te missen rennen ze met z'n allen niet naar de media- of kledingafdeling, maar naar de afdelingen waar ze vis, wild, gevogelte, vleeswaren en banket kunnen vinden. Vanavond is het vreten geblazen. Maar je voelt diezelfde sfeer, zwanger van agressie (een voorbode van de buikpijn van de volgende ochtend?).

'Jammer dat we het niet zelf mogen pakken. Dan zouden de kalkoen, kip, zeevruchten, zalm, worsten, foie gras, lamsbout, entrecotes, reerug en kerstrol nu al in ons karretje liggen en hoefden we niet de ploert die is voorgekropen zo overvloedig uit te schelden!'

Vanaf 9.15 uur is het op alle afdelingen zo'n zelfde chaos. Overal medewerkers die een inzinking nabij zijn. Oké, niet altijd om dezelfde redenen. Sommige klanten begrijpen niet waarom het meest verkochte speelgoed van dat moment uitgerekend met Kerstmis is uitverkocht en spreken er schande van in veertigvoud. Anderen willen alleen maar grote cadeaus weggeven (en een beetje mooi, hè!), maar wel voor minder dan vijf euro. Weer anderen hebben geen flauw benul wat ze hun naasten cadeau willen doen. De verkopers mogen twee uur lang ideeën aandragen (en het is ze geraden met iets grandioos te komen!). Je hebt ook types die drie minuten voor sluitingstijd langskomen en nog bezig zijn wanneer de verlichting uitgaat (dat schemerlicht helpt niet echt mee als je een keus wilt maken uit de verschillende kleuren tafelkleden).

En natuurlijk zijn we bij de kassa's weer getuige van de bekende hartelijkheid en beschaving, maar dan net een graadje erger… Natuurlijk, tegenwoordig wordt de vis veel te duur betaald. Voor de gelegenheid zijn alle prijzen verhoogd. En het spreekt voor zich dat jij daar verantwoordelijk voor bent. Dus kun je aan hun woedende blikken aflezen: 'We betalen ons al helemaal scheel aan jou, dus verwacht maar niet dat we ook nog eens dank je wel zeggen!' En/of: 'Van jou wordt mijn kalkoen niet gaar, dus tempo maken, domme gans.'

En vooral vriendelijk blijven glimlachen, zelfs als je voor de vijftigste keer die dag wordt uitgescholden omdat je geen cadeaus inpakt of omdat je op z'n minst een mooi stukje verpakkingslint zou kunnen geven om de afschuwelijke kleur van het pakpapier een beetje te verdoezelen, het pakpapier waarop – toppunt van wansmaak – het logo van de winkel prijkt! 'Wat blijft er over van de kerstgedachte met dat vreselijke papier van jullie?'

Desondanks ben je verplicht ze een 'VrolijkKerstfeestEn-GelukkigNieuwjaar' toe te wensen en hun je liefste glimlach te schenken. En minstens driehonderdvijftig keer, dat wil zeggen ongeveer vijf keer zo vaak, verzeker je ze: 'Nee hoor. Ik controleer telkens of de korting eraf is gegaan.'

Nee, misschien is het toch niet zo verstandig die twee happenings – koopjesdag en 24 december – met elkaar te vergelijken. Vooral omdat de aankleding van de winkel (vrolijke slingers en plastic kerstbomen versus flitsende affiches met '50% korting!' erop) tussentijds veranderd is. En verder is het niet uitgesloten dat je 24 december een kerstmuts draagt. Terwijl het de eerste dag van de uitverkoop eerder een (tuin)kaboutermuts zal zijn. In beide gevallen zit je er trouwens belachelijk bij (ook wanneer de rest van je outfit in de categorie 'Glamour' of 'Oma' valt…).

Nog zo'n wezenlijk verschil: op kerstavond gaat je winkel om zeven uur 's avonds dicht, tegen tien uur 's avonds de eerste dag van de uitverkoop. Ja, maar zeker weten dat je 24 december even moe en afgestompt bent.

En wanneer de laatste rolhekken van de winkel eindelijk naar beneden zijn en je denkt te kunnen uitpuffen, zou je zonder probleem nog een gefrustreerde klant kunnen meemaken die opgewonden voor het hek staat te gillen: 'Laat me erin! Ik moet nog een cadeau kopen.'

'Ze zijn gesloten, mevrouw,' krijgt ze van een bewaker te horen.

'Wát?! Maar dat kan niet, ik kan vanavond niet met lege handen aankomen!'

'Ze zijn gesloten, mevrouw,' zal hij dan nog maar een paar keer herhalen.

Je mag je daar natuurlijk best om verkneukelen, zij het in stilte. Mocht dat laatste niet lukken, dan kun je jezelf altijd verdedigen door te zeggen dat het een geval was van stress weglachen…

En dan te bedenken dat het merendeel van de cadeaus die je klanten met veel zorg, pijn en moeite of op wat voor manier dan ook hebben uitgekozen, morgen voor de helft van het aankoopbedrag op een website te koop staat… Maar dan heb ik dus ergens toch gelijk! Kerstmis is bijna hetzelfde als de eerste dag van de uitverkoop.

Prettige kerstavond en vrolijk kerstfeest. Vergeet vooral niet hoe krap bij kas je bent en haast je dus na zonsopgang om alle koopjes op internet te bekijken…

Avonturen bij de buren

Ben je de supermarkten in je eigen omgeving zat? Je hebt behoefte aan wat frisse lucht en wilt weten of het gras groener is in de supermarkten in een andere provincie of in een buurland? Dat is helemaal niet vreemd. Zelf heb ik het ook eens geprobeerd, vol verwachting. Maar helaas, de bazen daar leken exact op de mijne, de kassières leidden er eenzelfde bestaan, de klanten verschilden in niets van de mijne. Ze hadden er alleen meer soorten speculaas en wafels. En het taaltje natuurlijk! Als je dan per se ver weg in een supermarkt wilt werken (niet achteraf gaan lopen jammeren), wees dan voorbereid op dit soort situaties:

Jij: '9 euro 99 alstublieft, mevrouw.'

Vrouwelijke klant (met een accent waar je steil van achteroverslaat): 'Wâzeijudâ?'

Jij: 'Pardon? Neemt u mij niet kwalijk, wat zegt u?'

Vrouwelijke klant: 'Mâwâprâturâ!'

Jij: 'Pardon?… Ik heb u niet goed verstaan. 9 euro 99, alstublieft.'

De klant die achter haar staat besluit tussenbeide te komen.

Mannelijke klant (tegen de vrouwelijke klant, met een accent waar je steil van achteroverslaat): 'Umoenegeur-negûhnènegûhti'btâl!'

Vrouwelijke klant: 'Â, dâduilûkûhtâ!'

Mannelijke klant (tegen jou, vrijwel zonder accent): 'Kijk, ze heeft 't begrepen, 'k heb even vertaald wa' u zei.'

Jij: 'Bedankt. Wat heeft ze een enorm accent!'

Vrouwelijke klant (tegen mannelijke klant): 'Zijsnievâhiehè, wâksèhèzûh!'

Mannelijke klant (tegen jou): 'Ze vraagt of ik u wil zeggen dat u nie' van hier bent en dat u nogal een accent hebt!'

Het is dus allemaal maar hoe je het bekijkt. Eén advies: neem zoveel mogelijk het accent of de taal van je nieuwe werkomgeving over.

Dacht je je medelanders van je af te hebben geschud? Helaas, je komt ze overal tegen, inclusief hun legendarische charme.

Jij (trots dat je je de eigenaardigheden van je buurtaal eigen hebt gemaakt): 'Zevûhtigeur'vijvûhnegûti' asteblie.'

Klant uit je thuisland (geïrriteerd): 'Praat je moerstaal, mens.'

En je hebt er nu alweer spijt van dat je bent vertrokken.

Wil je liever een overzeese supermarkt uitproberen? Vooruit dan maar, dat is je goed recht, maar zorg er dan wel voor dat je in topconditie bent!

Aftellen

Zaterdag 3 januari: mijn laatste dag. En ik droom niet!

Alle handelingen en zinnetjes die ik duizenden keren verricht en gezegd heb; na vandaag zet ik er een punt achter. Niet te geloven! Ik zou me willen terugtrekken om er even rustig bij stil te staan maar… er moet gewerkt worden ('Het mag dan je laatste dag zijn, we betalen je niet om te niksen!').

Ik kom bij de centrale kassa en roep zoals altijd 'Goeiemorgen' in de richting van de aanwezigen (yes, er wordt vanochtend zowaar gereageerd!). Dit is de laatste keer dat ik naar het bord kijk om mijn dagschema te bekijken en te lezen waar ik – voor het laatst – moet gaan zitten (kassa 12 tot drie uur vanmiddag, kassa 13 tot negen uur vanavond… O wat fijn, de hele dag naast de vrieskasten! En dat terwijl ik verdorie m'n sjaaltje ben vergeten!).

Zoals altijd werp ik een blik in mijn kassala om te controleren of ik wel genoeg geldrollen heb voor de hele dag. Ik vraag ook nu weer om extra exemplaren van 1 en 2 euro. Ik neem een keukenrol mee (voor het geval dat… er een zak chips kapotgaat, een stuk neuspulk aan mijn vingers blijft plakken, een klant zijn neus wil snuiten nadat hij me onder heeft geniest of iets anders leuks) en loop de centrale kassa uit.

Ik hoef nog maar een paar uur voor dit bedrijf te werken. Zelfs de klanten die ik vandaag voorbij zie komen zullen anders zijn dan anders. Spijt? Nee, je moet ook weer niet overdrijven…

Het is elf uur. Spitsuur. Weer geen stoel… zoals altijd. Maar ditmaal duurt het wel vijf minuten eer ik er een weet te bemachtigen (beter laat dan nooit!).

En meteen klinkt het: 'Ben je open?'

'…'

En voor het eerst geef ik geen antwoord (kan mij het wat schelen!). De klanten (de laatste driehonderd!) vormen één onafgebroken rij. Natuurlijk zitten er weer een paar van mijn schatjes tussen: de bellende klant, meneer Bezaut met zijn kapotte sok en uitgemergelde voet, de koopjesjaagster, de klant met zijn 'gênante' wc-papier, de 'Waar zijn de wc's'-klant. Ook een paar erg aardige (nee, niet de klant die loopt te bellen en je toch gedag zegt), die mijn verhalen op mijn website hebben gelezen, die me succes wensen en beloven dat ze voortaan kassières als volwaardige mensen zullen behandelen. Halleluja! Wat een prachtig afscheidscadeau (dan heb ik dus niet mijn tijd verdaan)!

20.45 uur. De luidsprekers laten weten dat de winkel gaat sluiten.

Nu al? De dag is supersnel voorbijgegaan. Het zullen de emoties wel zijn.

20.55 uur. De laatste klant.

'Zijn er geen tasjes?'

Je moet natuurlijk wel in stijl eindigen.

Ik speur de gangpaden af om te zien of het duo 'Sluiten' niet toevallig komt aanslenteren. Nee, helaas! Ik zou ze eens lekker hebben aangepakt. Nooit meer zouden ze om vijf voor negen naar binnen zijn gestapt!

De dag is voorbij. Ik boen mijn lopende band blinkend schoon ('Ik zal je missen, weet je. Bedankt dat je me zo vaak hebt geholpen'), maar ook de rest van mijn kassa… Normaal gebeurt het allemaal zo werktuiglijk dat je bijna zou vergeten waarom je het doet. Maar vanavond realiseer ik me heel goed dat ik het doe voor de collega die morgen op deze plek zit. Ik vraag me trouwens af wie deze kassa van me overneemt. Dat is nou typisch zoiets waar je gewoonlijk niet bij stilstaat. Wat maakt het ook uit?

Een laatste check. Een laatste blik vanaf deze kant van de kassa.

Alles is in orde, alles is netjes.

Met mijn kassala onder mijn arm loop ik voor het laatst de rest van de rij langs naar de centrale kassa. De witte tegels lijken voor me weg te vluchten. Toch volgen mijn voeten dezelfde route die ik de afgelopen jaren bijna dagelijks heb afgelegd. Het valt me zwaar te bedenken dat ik bij mijn eerstvolgende bezoek aan de winkel een 'gewone' klant zal zijn. Ik loop een beetje minder snel, ik wil graag de geur hier nog even opsnuiven.

De laatste rolhekken van de winkel gaan metalig rammelend dicht. De oogverblindend witte tl-buizen gaan uit, er blijf alleen nog wat gedempt licht over. Mijn voetstappen weerklinken door de grote, lege winkel. Daar klinkt nog een eenzame 'piiiep', als een afscheidsgroet van de kassa's die ik al die jaren heb bediend. Maar het wordt tijd de centrale kassa binnen te stappen en voor de laatste keer het geld te tellen.

Het tellen gaat in één keer goed! Voor het laatst laat ik al die munten en biljetten door mijn handen gaan, een gevoel dat zo vertrouwd is. Het geld aanvaardt de terugtocht naar mijn zwarte kassala, die ik voor het laatst dichtdoe. Niet lang nadat ik hem aan mijn collega's van de centrale kassa heb overhandigd zal het etiket met mijn naam van het metalen kistje worden gehaald, waarna het al snel overgaat in de handen van mijn vervanger.

Een naam… een nummer, inwisselbaar.

Kassière zijn is vaak maar zo tijdelijk. De medewerkers komen en gaan, ze zijn allemaal hetzelfde… of toch niet.

Een glaasje champagne?… jus d'orange?… Op z'n minst dan wat afscheidschips?

Wakker worden! Je bent kassière geweest, geen notaris!

De collega's kussen me gedag. Gelukkig dat zij er waren.

Ik klok voor het laatst uit (dat hoop ik tenminste!). 21.15 uur. Keurig volgens schema. Ach, die maffe prikklok die me zo vaak gevraagd heeft mijn kaart opnieuw door de lezer te halen… Deze keer heb ik je tuk! Ook mijn kaart gaat in andere handen over. Morgen, overmorgen of nog iets later?

De medewerkers komen en gaan, ze zijn allemaal hetzelfde… of toch niet.

Ik vermoed dat deze tientallen meters lange rij kassa's me nog lang zal blijven achtervolgen. Het licht, de achtergrondgeluiden, de min of meer bekende gezichten van klanten die het hele jaar door langskomen, al die collega's die ik heb mogen ontmoeten.

Na vandaag is het allemaal uit mijn leven verdwenen. Maar liefst acht jaar achter de kassa!

Ik vertrek met een grote (recyclebare) boodschappentas vol herinneringen en piiiep, piiiep, piiiep…

Zo, heb je nog altijd zin om kassière te worden? Is het nog altijd je droombaan? Nee? Dat verbaast me niets!

Maar je hebt geen keus?

Ja, ook dat verbaast me niets. Veel succes dan maar. En als het echt niet meer gaat, doe dan net als ik, schrijf een boek! Wie weet wordt het dan ook in de supermarkt verkocht, voor… 14 euro 98. Een koopje, toch?

Dankbetuiging

Ik wil al mijn collega's bedanken met wie ik die acht jaar achter de kassa heb doorgebracht, die me gesteund hebben en me hebben laten lachen, en vooral degenen met wie ik echt bevriend ben geraakt.

Mijn eerste lezers wil ik bedanken, de lezers van mijn blog, die me maandenlang hebben gemotiveerd om door te gaan met dit avontuur en het op papier te zetten.

Iris en François wil ik bedanken, omdat ik dankzij hen echt beter ben gaan schrijven.

Vooral ook Liliane wil ik bedanken, mijn opperlezeres met haar alziende blik en verstandige adviezen.

Mijn familieleden wil ik bedanken, die me dag in dag uit bijstaan en me aangemoedigd hebben mezelf te overtreffen.

Tot slot wil ik mijn grootste steun en toeverlaat bedanken, mijn man Richard, omdat hij er altijd voor me is.

http://caissierenofutur.over-blog.com